le temps des marinades

**Catalogage avant publication de
Bibliothèque et Archives Canada**

Guilbaud, Frédérique

Le temps des marinades

1. Marinades.   2. Aliments marinés   I. Titre.

TX819.M26G84   2005   641.4'62   C2005-940612-7

Correction : Caroline Yang-Chung
Infographie : Manon É. Léveillé

Pour en savoir davantage sur nos publications,
visitez notre site : **www.edhomme.com**
Autres sites à visiter : www.edjour.com
www.edtypo.com • www.edvlb.com
www.edhexagone.com • www.edutilis.com

DISTRIBUTEURS EXCLUSIFS :

• Pour le Canada et les États-Unis :
MESSAGERIES ADP*
955, rue Amherst
Montréal, Québec H2L 3K4
Tél. : (514) 523-1182
Télécopieur : (450) 674-6237
* Filiale de Sogides ltée

• Pour la France et les autres pays :
INTERFORUM
Immeuble Paryseine, 3, Allée de la Seine
94854 Ivry Cedex
Tél. : 01 49 59 11 89/91
Télécopieur : 01 49 59 11 96
Commandes : Tél. : 02 38 32 71 00
                        Télécopieur : 02 38 32 71 28

• Pour la Suisse :
INTERFORUM SUISSE
Case postale 69 - 1701 Fribourg - Suisse
Tél. : (41-26) 460-80-60
Télécopieur : (41-26) 460-80-68
Internet : www.havas.ch
Email : office@havas.ch
DISTRIBUTION : OLF SA
Z.I. 3, Corminbœuf
Case postale 1061
CH-1701 FRIBOURG
Commandes : Tél. : (41-26) 467-53-33
                        Télécopieur : (41-26) 467-54-66
                        Email : commande@ofl.ch

• Pour la Belgique et le Luxembourg :
INTERFORUM BENELUX
Boulevard de l'Europe 117
B-1301 Wavre
Tél. : (010) 42-03-20
Télécopieur : (010) 41-20-24
http://www.vups.be
Email : info@vups.be

05-05

Dépôt légal : 2e trimestre 2005
Bibliothèque nationale du Québec

ISBN 2-7619-2047-3

Gouvernement du Québec – Programme de crédit d'impôt pour l'édition
de livres – Gestion SODEC – www.sodec.gouv.qc.ca

L'Éditeur bénéficie du soutien de la Société de développement des entreprises
culturelles du Québec pour son programme d'édition.

Nous reconnaissons l'aide financière du gouvernement du Canada par
l'entremise du Programme d'aide au développement de l'industrie de
l'édition (PADIÉ) pour nos activités d'édition.

Frédérique Guilbaud

le temps des marinades

Plus de 100 recettes

LES ÉDITIONS DE L'HOMME

Ce livre est dédié à ma mère et à mon père, qui m'ont transmis l'amour de la vie et des choses simples. En appréciant les petits plaisirs quotidiens, l'odeur familière des arômes qui embaument la cuisine, la chaleur réconfortante des rires autour de la table et le plaisir de partager un repas entre amis, j'essaie de transmettre à mon tour cette belle tradition familiale.

Je remercie chaleureusement Louise Paquet, mon amie de toujours, sans qui ce livre n'aurait jamais pris forme. Merci pour ta collaboration très appréciée.

Introduction

J'ai grandi à Québec. Je suis mariée depuis 30 ans et mère de deux enfants adultes. Depuis le début de mon mariage, j'ai habité avec ma famille dans différents coins du Québec. C'est ainsi que j'ai découvert le jardinage.

Le temps des récoltes arrivé, j'avais toujours beaucoup trop de légumes et de petits fruits frais pour que nous puissions les consommer rapidement. J'ai donc commencé à faire des conserves maison, des marinades et des confitures. Les tomates rouges charnues, les oignons, les poivrons de deux couleurs que mon papa faisait rôtir sur le barbecue et que maman mettait en pots dans de l'huile ; voilà comment les conserves sont entrées dans ma vie.

La première fois que j'ai fait des marinades, c'était avec un sac de 10 kg (20 lb) de petits oignons perlés. Je n'avais jamais fait blanchir et épluché autant d'oignons. Je me revois assise dans la cuisine avec tous les pots, le vinaigre, le sucre, etc. J'étais désespérée ! J'ai appelé mon amie Louise – celle-là même qui présentement remet tout ce travail en ordre sur l'ordinateur – qui pas plus que moi ne sait faire des conserves de petits oignons, et nous nous sommes mises au travail. J'ai appris cette journée-là qu'il est préférable de faire des pots en petite quantité à la fois, quitte à recommencer plusieurs fois. Pour moi, ce fut le début d'un passionnant passe-temps.

Aujourd'hui, je vous fais partager mon plaisir qui, à la longue, est devenu aussi mon gagne-pain. Je fabrique et vends maintenant mes conserves dans notre boutique.

Achards : relish en gros morceaux.

Chow-chow : marinade à base de moutarde.

Chutney : sauce aigre-douce à base de fruits, de légumes, de sucre, de piment et de vinaigre.

Ketchup : marinade plus ou moins liquide à base de fruits, de légumes, généralement avec beaucoup de tomates, et un mélange d'épices.

Piccalilli : marinade à base de légumes hachés et de moutarde.

Conseils de base

- Choisir des fruits et des légumes bien frais, de bonne qualité, de préférence jeunes et tendres, encore fermes mais mûrs.

- Opter pour un vinaigre à marinade (5 % ou plus d'acide acétique).

- Respecter les quantités de sel et/ou de sucre, car ce sont des agents de conservation et ils doivent agir comme tels.

- Utiliser du sucre blanc, du sucre à fruits ou de la cassonade.

Contenants

- Vérifier le bon état des bocaux de verre et des couvercles.

- Stériliser les bocaux et les couvercles dans l'eau bouillante pendant 15 min ou les mettre dans le lave-vaisselle sans savon.

- Remplir les bocaux jusqu'à 1,25 cm du bord quand ils sont encore très chauds.

- Bien essuyer le rebord à l'extérieur et à l'intérieur avec un linge propre.

- Appliquer la rondelle de caoutchouc très chaude et visser le couvercle.

- Entreposer dans un endroit sombre, sec et frais.

Quelques conseils généraux sur les marinades (conserves)

- Les fruits et les légumes doivent être les plus frais et fermes possible, sans blessures.

- Les fruits ne doivent pas être tout à fait mûrs.

- Les concombres doivent être de même grosseur.

- Pour la saumure, prendre du gros sel, car le sel fin donne une saumure trouble.

- Un bon vinaigre blanc donne et garde les couleurs des fruits et des légumes. Le vinaigre doit être de bonne qualité, car s'il n'est pas assez acide, les marinades ne se conserveront pas et les légumes ou les fruits deviendront mous. Les vinaigres de cidre, de vin blanc ou rouge donnent un goût différent et colorent aussi les fruits et les légumes.

- Il faut toujours mesurer les épices avec précision. Achetez vos épices et fines herbes en petites quantités, car elles perdent leur saveur si on les garde trop longtemps.

- Ne jamais doubler une recette, car la cuisson sera plus longue et les aliments changeront de couleur et de goût en plus d'être mous.

11

- Des casseroles en acier inoxydable, en fonte émaillée, en verre ou en aluminium ; les autres matériaux provoquent des changements de couleur des aliments.

- Une louche en inox pour remplir les pots.

- Un couteau de cuisine ou un économe pour préparer les fruits et les légumes.

- Une planche à découper.

- Une passoire sur pieds pour rincer et égoutter les fruits et les légumes.

- Une casserole en inox pour blanchir.

- Un ou deux bols pour faire macérer les fruits et les légumes avant la cuisson.

- Des cuillères et des tasses graduées pour mesurer les aliments.

- Une balance de cuisine (facultatif).

- Un tamis pour égoutter les ingrédients après une première cuisson.

- Du coton à fromage ou de la mousseline pour faire des sachets pour les épices.

- Un entonnoir à grande ouverture pour remplir les pots.

- Un entonnoir plus petit.

- Des pots et des couvercles.

- Des étiquettes.

- De la patience et du temps…

Stérilisation des pots et des couvercles

- S'assurer que les pots sont en bon état, qu'ils ne sont ni ébréchés ni craqués, que le rebord est très lisse.
- Laver les pots et les couvercles à l'eau chaude savonneuse, puis bien les rincer à l'eau froide.

On peut stériliser les pots :

- Au lave-vaisselle : Utiliser le cycle réchauffe-assiettes ; y laisser les pots jusqu'à utilisation.
- Au four : 10 min ou plus à 120 °C à 150 °C (250 °F à 300 °F) ; y laisser les pots jusqu'à utilisation, car ils doivent être chauds lors du remplissage.
- À l'eau bouillante : Mettre les pots et les couvercles dans une marmite pleine aux deux tiers d'eau chaude. Faire bouillir 15 min après avoir baissé le feu. Prendre les pots au fur et à mesure au besoin.
- Pour remplir les pots, il faut faire le plus rapidement possible en prenant soin de ne pas salir le bord. Laisser un espace de tête de 3 mm à 1,25 cm (⅛ po à ½ po).
- Essuyer le rebord du pot, fermer rapidement avec le couvercle chaud et visser. Faire la même chose avec chaque pot, puis étiqueter.
- Garder dans un endroit frais et sec et consommer dans l'année qui suit.

13

Les **ketchups**

Les ketchups

Les ketchups sont délicieux avec le gibier, le bifteck, le pâté chinois, le pain de viande, la tourtière, le ragoût et beaucoup d'autres choses !

Ketchup aux fruits n°1

6 À 8 POTS

15 tomates mûres
6 pêches
6 pommes
6 poires
4 gros oignons, en dés
½ pied de céleri, en dés
2 poivrons verts
1 poivron rouge
1 c. à soupe de gros sel
60 g (¼ tasse) d'épices à marinades,
  dans un sachet
750 ml (3 tasses) de vinaigre
1 kg (4 tasses) de sucre

- Blanchir les tomates et les pêches. Rincer à l'eau froide, peler et couper en morceaux.

- Peler les pommes et les poires et les couper en cubes.

- Ajouter les oignons et le céleri.

- Placer tous les ingrédients dans une grande marmite et cuire environ 1 h 30, jusqu'à consistance épaisse.

- Retirer les épices. Verser dans les pots stérilisés et sceller.

Ketchup aux fruits n°2

15 POTS DE 500 ML (2 TASSES)

7,25 kg (16 lb) de tomates, en dés
1,4 kg (3 lb) d'ananas, en morceaux
4 pêches
7 poires
7 pommes
1 pied de céleri
1 chou-fleur
2 lb (1 kg) d'oignons
4 litres (16 tasses) de vinaigre
1 kg (4 tasses) de sucre
4 c. à soupe d'épices à marinades,
  dans un sachet

- Blanchir les tomates. Couper les ananas et réserver le jus. Éplucher les fruits.

- Couper les fruits et les légumes en petits morceaux.

- Dans une grande casserole, mettre les tomates, les fruits et les légumes, les ananas et le jus.

- Couvrir de vinaigre et faire bouillir en remuant pour empêcher de coller.

- Au moment de l'ébullition, ajouter le sucre, réduire le feu et remuer pour empêcher de coller.

- Ajouter le sachet d'épices à marinades.

- Laisser mijoter 2 h et remuer de temps à autre.

- Enlever le sachet d'épices.

- Remplir les pots stérilisés.

Ketchup vert des Caraïbes

10 POTS DE 175 ML (¾ TASSE)

2 kg (8 tasses) de tomates vertes
3 c. à soupe de sel
500 ml (2 tasses) de vinaigre de cidre
480 g (2 tasses) de sucre
3 c. à soupe de graines de moutarde
½ c. à café (½ c. à thé) de curcuma
750 g (3 tasses) d'oignons, en tranches
1 poivron rouge, haché
Une petite pincée de poivre de Cayenne

- Laver et trancher les tomates, mélanger au sel et laisser reposer jusqu'au lendemain. Égoutter.
- Dans une grande marmite, mélanger le vinaigre, le sucre, les graines de moutarde, le curcuma et les oignons. Amener à ébullition et laisser mijoter lentement 5 min.
- Ajouter les tomates égouttées, les poivrons et le poivre de Cayenne. Amener à ébullition et laisser mijoter 5 min en remuant de temps à autre.
- Verser dans des bocaux stérilisés et sceller.

Ketchup aux poivrons

10 POTS

12 oignons
12 poivrons rouges
12 poivrons verts
6 pommes, pelées
1 litre (4 tasses) de vinaigre
1 kg (4 tasses) de sucre
1 c. à café (1 c. à thé) de sel

- Couper les oignons, les poivrons et les pommes en morceaux. Ajouter le vinaigre, le sucre et le sel et laisser bouillir 1 h.
- Verser dans les pots et sceller.

19

Ketchup aux courgettes de Martine

2 LITRES (8 TASSES)

1,5 kg (10 tasses) de courgettes,
  en tranches
750 g (5 tasses) d'oignons, hachés
2 branches de céleri, en dés
2 poivrons rouges, en dés
2 poivrons verts, en dés
1 c. à soupe de gros sel
625 ml (2 ½ tasses) de vinaigre
1,25 kg (5 tasses) de sucre
1 c. à café (1 c. à thé) de curcuma
1 c. à café (1 c. à thé) de graines
  de céleri
1 c. à café (1 c. à thé) de graines
  de moutarde
3 c. à soupe de fécule de maïs,
  délayée dans la même quantité
  d'eau

• Dans un grand bol, déposer les courgettes, les oignons, le céleri et les poivrons.

• Saupoudrer de gros sel, bien mélanger et laisser dégorger 2 h. Laisser égoutter les légumes 1 h dans une passoire pour les débarrasser de leur excédent d'eau. Rincer les légumes et les essuyer avec un linge propre.

• Dans une casserole, mélanger le vinaigre et le sucre. Ajouter le curcuma, les graines de céleri et les graines de moutarde. Amener à ébullition.

• Ajouter les légumes et laisser bouillir 20 min. Ajouter la fécule de maïs et poursuivre la cuisson tout en mélangeant jusqu'à léger épaississement.

• Verser dans des pots chauds et stérilisés. Bien sceller.

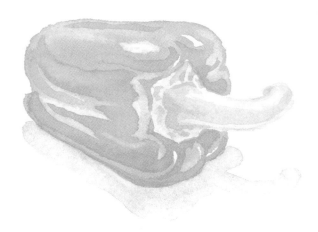

Ketchup aux tomates rouges

10 POTS

8 kg (16 lb) de tomates rouges mûres
4 poivrons verts
10 oignons moyens
1 gousse d'ail
6 branches de céleri

DANS UN SACHET
1 bâton de cannelle
2 c. à café (2 c. à thé) de poivre noir
  en grains
2 c. à café (2 c. à thé) de piment
  de la Jamaïque
1 c. à soupe de clous de girofle
½ c. à café (½ c. à thé) de poivre
  de Cayenne
2 c. à soupe de paprika
2 c. à café (2 c. à thé) de fenouil
2 c. à soupe de moutarde sèche
2 c. à soupe de gros sel
OU : ⅓ tasse d'épices à marinades
  du commerce, dans un sachet
500 g (2 tasses) de cassonade ou
  de sucre roux

375 ml (1 ½ tasse) de vinaigre blanc
375 ml (1 ½ tasse) de vinaigre
  de cidre

- Laver les légumes et les hacher en gros morceaux. Ajouter les épices et les vinaigres.

- Faire cuire à feu doux 2 ½ h, jusqu'à ce que les légumes soient tendres.

- Mettre en pots et sceller.

21

Ketchup aux tomates rouges épicées

10 À 12 POTS DE 375 ML (1 ½ TASSE)

20 tomates mûres
4 pommes rouges, épépinées et coupées
  en cubes
4 gros oignons, en cubes
750 ml (3 tasses) de vinaigre
480 g (2 tasses) de cassonade
60 g (¼ tasse) d'épices à marinades,
  dans un sachet
1 gousse d'ail, hachée finement
  pour ajouter dans le sachet
¼ c. à café (¼ c. à thé) de poudre
  de chili
½ c. à café (½ c. à thé) de moutarde
  sèche
2 c. à café (2 c. à thé) de cari
2 c. à café (2 c. à thé) de piment
  de la Jamaïque moulu
¾ c. à café (¾ c. à thé) de sel

- Blanchir les tomates, les rincer à l'eau froide, les peler et les couper en morceaux.

- Mélanger tous les ingrédients dans une casserole.

- Faire fondre la cassonade doucement à feu doux. Lorsque la cassonade est fondue, porter à ébullition.

- Baisser le feu et laisser mijoter à découvert 1 h en remuant de temps à autre, jusqu'à consistance épaisse.

- Retirer le sachet d'épices.

- Remplir les pots stérilisés chauds. Sceller.

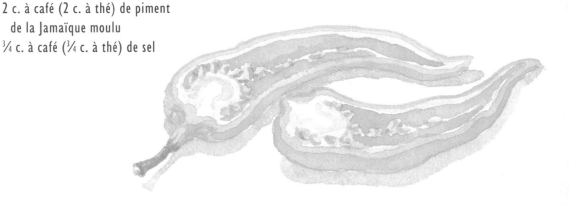

Ketchup aux tomates vertes

10 POTS

4 kg (8 lb) de tomates vertes
  (environ 32 tomates)
6 gros oignons
750 ml (3 tasses) de vinaigre
720 g (3 tasses) de cassonade
  ou de sucre roux
1 c. à soupe de gros sel
1 c. à café (1 c. à thé) de clou
  de girofle moulu
1 c. à café (1 c. à thé) de cannelle
  moulue
1 c. à café (1 c. à thé) de macis
  moulu

- Hacher les tomates et les oignons. Mettre dans une casserole, couvrir et faire bouillir dans leur jus. Laisser mijoter 30 min.
- Ajouter le reste des ingrédients et laisser mijoter à découvert jusqu'à épaississement en remuant de temps à autre.
- Verser dans des pots stérilisés. Sceller.

NOTE : Pour obtenir un ketchup plus croquant de consistance différente, ajoutez 6 tomates en cubes.

Ketchup aux poires

12 À 15 POTS

1 kg (2 lb) de tomates
7 poires
4 oignons moyens
1 poivron rouge, en cubes
720 g (3 tasses) de sucre
500 ml (2 tasses) de vinaigre
2 c. à café (2 c. à thé) de sel
2 c. à soupe d'épices à marinades,
  dans un sachet

- Hacher les tomates, les poires et les oignons à l'aide du robot de cuisine.
- Mettre dans une casserole avec les poivrons.
- Ajouter le sucre, le vinaigre, le sel et le sachet d'épices.
- Cuire à feu moyen à découvert environ 1 h, jusqu'à ce que le tout ait une consistance épaisse. Remuer souvent.
- Retirer le sachet d'épices.
- Mettre en pots et sceller.

23

Ketchup aux bleuets

10 POTS

1 à 1,4 kg (2 à 3 lb) de tomates rouges
2 lb (1 kg) de bleuets
4 oignons moyens
720 g (3 tasses) de sucre
500 ml (2 tasses) de vinaigre
1 c. à café (1 c. à thé) de sel
2 c. à soupe d'épices à marinades,
  dans un sachet

- Hacher les tomates et les oignons à l'aide du robot de cuisine. Mettre dans une casserole avec les bleuets.

- Ajouter le sucre, le vinaigre, le sel et le sachet d'épices.

- Cuire à feu moyen à découvert environ 1 h, jusqu'à consistance épaisse. Remuer souvent.

- Retirer le sachet d'épices.

- Mettre en pots et sceller.

Ketchup d'automne aux tomates vertes

12 À 15 POTS

4,5 kg (10 lb) de tomates vertes
240 g (½ tasse) de gros sel
4 gros oignons, en tranches
1 pied de céleri, en dés
750 g (3 tasses) de pommes, en dés
750 ml (3 tasses) de vinaigre
720 g (3 tasses) de sucre
1 c. à soupe de poivre
1 c. à soupe de gingembre moulu
1 c. à soupe de clou de girofle moulu
1 c. à soupe de cannelle moulue
½ c. à café (½ c. à thé) de poivre
   de Cayenne

- Trancher les tomates, saupoudrer de sel et laisser dégorger toute la nuit. Laisser égoutter de 2 à 3 h.

- Mettre les tomates et tous les ingrédients dans une casserole. Porter à ébullition de 45 à 60 min, jusqu'à épaississement.

- Mettre dans des pots chauds et stérilisés. Sceller.

NOTE : S'il vous reste des tomates vertes après avoir fait votre ketchup vert, essayez celui-ci. Il est vraiment différent.

Ketchup aux pommes

10 POTS

1 kg (2 lb) de tomates
12 grosses pommes
4 oignons moyens
720 g (3 tasses) de sucre
500 ml (2 tasses) de vinaigre de cidre
   ou de vinaigre ordinaire
1 c. à café (1 c. à thé) de sel
60 g (¼ tasse) d'épices à marinades,
   dans un sachet

- Hacher les fruits et les légumes à l'aide du robot de cuisine et mettre dans une casserole. Ajouter le sucre, le vinaigre, le sel et le sachet d'épices.

- Cuire à feu moyen à découvert environ 1 h, jusqu'à consistance épaisse. Remuer souvent.

- Retirer le sachet d'épices.

- Mettre dans des pots chauds et sceller.

25

Les *marinades*

Les marinades

Petits oignons marinés

10 À 12 POTS

3 kg (12 tasses) de petits oignons
  blancs et rouges
120 g (½ tasse) de gros sel
2 poivrons rouges, coupés de la même
  grosseur que les petits oignons
1,5 litre (6 tasses) de vinaigre
240 g (1 tasse) de sucre
1 c. à café (1 c. à thé) de poivre
  en grains
1 c. à soupe de clous de girofle entiers
Feuilles de laurier

- Faire tremper les oignons et la moitié du sel pendant 2 h dans une quantité d'eau suffisante pour couvrir les oignons.

- Égoutter les oignons et les peler.

- Remettre à tremper 48 h dans de l'eau à laquelle on aura ajouté le reste du sel. Égoutter et rincer.

- Faire bouillir le vinaigre avec 250 ml (1 tasse d'eau), le sucre et les épices dans un sachet. Ajouter les oignons et les poivrons et faire bouillir de 3 à 5 min. Retirer le sachet d'épices.

- Mettre en pots avec le vinaigre et ajouter 1 feuille de laurier par pot.

- Sceller.

Carottes marinées

10 POTS

1,5 kg (3 lb) de carottes
750 ml (3 tasses) de vinaigre
250 ml (1 tasse) d'eau
480 g (2 tasses) de sucre
1 orange, en fines tranches
Dans un sachet :
1 c. à soupe de piment de la Jamaïque
  entier
1 c. à soupe de clou de girofle entier
1 bâton de cannelle, en morceaux
1 c. à café (1 c. à thé) de gros sel

- Peler les carottes et les couper en bâtonnets si elles sont trop grosses.

- Cuire dans l'eau bouillante jusqu'à ce qu'elles soient un peu ramollies.

- Dans une casserole, mélanger le vinaigre, l'eau, le sucre et le sachet d'épices.

- Amener à ébullition, couvrir et laisser mijoter 20 min.

- Mettre les carottes dans les pots chauds et déposer une fine tranche d'orange contre la paroi.

- Remplir de sirop bouillant et sceller.

Citrouille marinée

10 POTS

2,75 kg (6 lb) de citrouille
2,25 kg (5 lb) de sucre
500 ml (2 tasses) de vinaigre blanc
2 c. à soupe de clous de girofles entiers
6 bâtons de cannelle

- Peler et épépiner la citrouille, puis la couper en fines tranches. Couvrir avec le sucre et laisser reposer toute la nuit.

- Ajouter le vinaigre, les clous de girofle et la cannelle à la citrouille. Cuire à feu moyen de 1 h à 1 h 15, jusqu'à épaississement.

- Mettre en pots stérilisés et verser le reste du sirop sur la citrouille. Sceller.

Choux-fleurs marinés

10 POTS

2 choux-fleurs, en bouquets
500 g (2 tasses) d'oignons perlés
  ou d'oignons hachés
1 poivron rouge, en petits morceaux
  de la même grosseur que les oignons
120 g (½ tasse) de gros sel
750 ml (3 tasses) de vinaigre
480 g (2 tasses) de sucre
1 c. à soupe de graines de moutarde
1 c. à café (1 c. à thé) de graines
  de céleri
½ c. à café (½ c. à thé) de curcuma

- Dans un grand bol, mélanger les choux-fleurs, les oignons, les poivrons et le sel. Mettre à tremper 3 h dans de la glace pilée ou des cubes de glace. Bien égoutter.

- Dans une casserole, mélanger les ingrédients restants. Amener à ébullition et faire bouillir 5 min. Ajouter les légumes bien égouttés, ramener à ébullition et laisser bouillir doucement 5 min.

- Mettre les légumes dans des pots chauds et sceller.

31

Cantaloup mariné

10 POTS

5 cantaloups pas trop mûrs
1 litre (4 tasses) d'eau froide
2 c. à soupe de gros sel
1,7 kg (7 tasses) de sucre
500 ml (2 tasses) de vinaigre blanc
2 clous de girofle entier
1 bâton de cannelle

- Couper chaque cantaloup en 8 quartiers. Épépiner et peler tout en laissant un peu du vert qui se trouve sous l'écorce. Tailler chaque quartier en morceaux triangulaires.

- Préparer une saumure avec l'eau froide et le gros sel et la verser sur les morceaux de cantaloup. Laisser reposer 2 h. Égoutter et bien rincer à l'eau froide.

- Mettre les morceaux de cantaloup dans une grande casserole. Couvrir d'eau froide. Porter à ébullition et laisser mijoter environ 15 min, jusqu'à ce que les morceaux de cantaloup soient tendres sans être trop mous. Égoutter.

- Faire un sirop avec le sucre, le vinaigre, les clous de girofle et la cannelle. Porter à forte ébullition et verser sur les morceaux de cantaloup. Laisser reposer 12 h.

- Le lendemain, porter à ébullition le sirop et les morceaux de cantaloup.

- Retirer du feu. Verser la marinade dans des bocaux stérilisés et sceller.

NOTE: On peut utiliser d'autres sortes de melons, mais le cantaloup garde une belle couleur dorée.

Chou rouge mariné

10 POTS

2 gros choux rouges (environ
  4 kg/16 tasses)
240 g (1 tasse) de gros sel
2,5 à 3 litres (10 à 12 tasses)
  de vinaigre
4 c. à soupe d'épices à marinades,
  dans un sachet

- Trancher les choux en fines lamelles.

- Mettre le chou dans un grand plat en saupoudrant du sel entre chaque couche. Couvrir d'un linge et laisser reposer 24 h.

- Égoutter, rincer à l'eau froide et égoutter de nouveau.

- Mélanger les ingrédients restants dans une grande casserole. Faire bouillir 15 min.

- Tamiser le vinaigre épicé et laisser refroidir.

- Mettre le chou en pots, remplir de vinaigre épicé refroidi et fermer les pots.

Betteraves marinées

11 POTS

1,5 à 2 kg (3 à 4 lb) de betteraves
500 ml (2 tasses) de vinaigre blanc
300 g (1 ¼ tasse) de sucre
2 c. à soupe de gros sel
3 oignons moyens, en tranches
DANS UN SACHET
6 clous de girofle entiers
1 bâtonnet de cannelle de 8 cm (3 po)

- Bien laver les betteraves. Couvrir d'eau bouillante et cuire jusqu'à ce qu'elles soient tendres. Égoutter et réserver 250 ml (1 tasse) du liquide de cuisson.

- Peler et trancher les betteraves.

- Mélanger le liquide de cuisson réservé avec le vinaigre, le sucre, le sel et le sachet d'épices. Porter à ébullition, ajouter les betteraves et les oignons.

- Baisser le feu, couvrir et laisser mijoter 5 min. Retirer le sachet d'épices.

- Ramener à ébullition, verser dans des pots stérilisés chauds et sceller.

33

Petits oignons au vinaigre n° 1

12 POTS

750 ml (3 tasses) de vinaigre
1 c. à soupe de poivre en grains
1 c. à soupe de gros sel
1 à 1,5 kg (2 à 3 lb) de petits oignons,
  pelés
Laurier
Thym

- Mélanger le vinaigre, le poivre et le sel. Porter à ébullition, écumer et laisser mijoter 10 min.

- Ajouter les oignons et cuire 5 min.

- Mettre les oignons dans les pots, ajouter le laurier et le thym et verser le vinaigre.

Petits oignons au vinaigre n° 2

12 POTS

1 à 1,5 kg (2 à 3 lb) d'oignons grelots
80 g (1/3 tasse) de sel ou de sel de mer
1,2 litre (5 tasses) d'eau
750 ml (3 tasses) de vinaigre épicé
  pour cornichons, filtré

- Éplucher les oignons (voir méthode p. 29) et les mettre dans un saladier.

- Faire dissoudre le sel dans l'eau et verser la saumure sur les oignons. Couvrir et laisser mariner 24 h en remuant de temps à autre.

- Égoutter les oignons et rincer à l'eau.

- Mettre dans des pots et verser le vinaigre dessus.

34

Petits oignons au vinaigre rose

10 POTS

1 kg (4 tasses) de petits oignons
  blancs
120 g (½ tasse) de sel de mer
6 grains de poivre
6 grains de coriandre
Branche d'estragon ou d'aneth
1 c. à café (1 c. à thé) de sucre
750 ml (3 tasses) de vinaigre
  de vin blanc
250 ml (1 tasse) de vinaigre
  de vin rouge

- Éplucher les petits oignons blancs. Mettre dans un saladier. Faire dissoudre le sel de mer dans 1 litre (4 tasses) d'eau.

- Verser l'eau salée sur les petits oignons blancs, puis laisser reposer 24 h.

- Égoutter et sécher les oignons sur du papier absorbant avant de les déposer dans des bocaux stérilisés.

- Ajouter le poivre, la coriandre, l'estragon et le sucre.

- Mélanger les vinaigres et remplir les bocaux du vinaigre rose. Sceller. Attendre 1 mois avant de consommer.

Betteraves en dés au vinaigre

8 POTS

2 kg (4 lb) de betteraves
2 c. à café (2 c. à thé) de sel de mer
  ou de sel ordinaire
1 c. à café (1 c. à thé) de raifort,
  haché finement (facultatif)
2,5 litres (10 tasses) de vinaigre
  de vin blanc ou autre

- Laver les betteraves sans endommager la peau.

- Couvrir les betteraves d'eau et ajouter le sel. Cuire 1 ½ à 2 h, jusqu'à ce qu'elles soient tendres. Laisser refroidir.

- Éplucher les betteraves, les couper en dés et les mettre dans des pots stérilisés. Ajouter le raifort.

- Faire bouillir le vinaigre et remplir les pots.

- Fermer les pots. Laisser macérer 4 semaines.

NOTE : Lorsque l'on fait bouillir le vinaigre, on peut ajouter des baies de genièvre, des clous de girofle, un bâton de cannelle ou des herbes aromatiques. On peut aussi ajouter des herbes aromatiques aux dés de betteraves au lieu du raifort.

Carottes au vinaigre

10 POTS

2 kg (4 lb) de petites carottes
Gros sel
2 litres (8 tasses) de vinaigre
150 g (1 tasse) de petits oignons,
  épluchés
5 poivrons rouges
1 c. à café (1 c. à thé) de grains
  de poivre

- Peler les carottes et les couper si elles sont trop grosses.

- Les blanchir 5 min dans de l'eau additionnée de sel.

- Mettre les carottes et les petits oignons dans des pots stérilisés.

- Faire bouillir le vinaigre et le verser sur les carottes, les oignons et les poivrons. Ajouter les grains de poivre.

- Fermer les pots. Attendre 2 mois avant de consommer. Délicieux avec de la volaille froide.

Choux-fleurs au vinaigre

10 POTS

2 choux-fleurs, en bouquets
Gros sel
1 litre (4 tasses) de vinaigre
1 c. à café (1 c. à thé) de poivre
  en grains
1 c. à café (1 c. à thé) de piment
  de la Jamaïque entier
1 bâton de cannelle

- Saupoudrer les choux-fleurs de gros sel et laisser reposer 24 h.

- Mélanger le vinaigre et les épices. Amener à ébullition et laisser bouillir 15 min.

- Égoutter le chou-fleur, mettre dans les pots et couvrir avec le vinaigre chaud. Fermer les pots. Les épices et le vinaigre peuvent changer la couleur des choux-fleurs.

Gingembre au vinaigre

10 POTS

150 g (1 tasse) de gingembre frais,
  pelé et coupé en lamelles très fines
1 c. à café (1 c. à thé) de sel de mer
250 ml (1 tasse) de vinaigre
1 c. à soupe de sucre
Quelques gouttes de colorant
  alimentaire rouge

- Mettre le gingembre dans un bol d'eau froide et laisser tremper 30 min.

- Égoutter et plonger dans une casserole d'eau bouillante. Ramener à ébullition rapidement.

- Égoutter et laisser refroidir.

- Mettre le gingembre dans un bol et saler.

- Faire chauffer à feu doux le vinaigre et le sucre. Remuer jusqu'à dissolution. Ajouter quelques gouttes de colorant.

- Mettre le gingembre en pots et couvrir de vinaigre chaud. Fermer les pots.

- Laisser macérer 2 semaines avant de consommer. Très bon avec la volaille, mais surtout avec les sushis. Le colorant rouge donne une belle teinte rosée au gingembre.

Cerises au vinaigre

10 POTS

2 kg (4 lb) de belles cerises fermes
500 ml (2 tasses) de vinaigre de vin
240 g (1 tasse) de sucre
1 bâton de cannelle
2 clous de girofle

- Laver les cerises et couper la queue à 1,25 cm (½ po) du fruit.

- Les plonger dans l'eau bouillante 1 min.

- Faire chauffer à feu doux tous les ingrédients restants en remuant pour bien dissoudre le sucre. Retirer du feu et filtrer.

- Mettre les cerises en pots. Verser le vinaigre sur les fruits. Bien couvrir de liquide.

- Sceller et conserver au sec. Servir comme des petits cornichons, en hors-d'œuvre ou avec des viandes telles que le lapin ou le canard.

Délicieuse jardinière

10 POTS

1 litre (4 tasses) de vinaigre
  de vin blanc
125 ml (½ tasse) d'huile d'olive
100 g (3 ½ oz) de sel
100 g (3 ½ oz) de sucre
200 g (1 tasse) de carottes
200 g (1 tasse) de haricots verts
200 g (1 tasse) de céleri
200 g (1 tasse) de chou-fleur
200 g (1 tasse) de fenouil (facultatif)
200 g (1 tasse) d'oignons
200 g (1 tasse) de poivrons, en petits
  morceaux

- Dans une grande casserole, porter à ébullition le vinaigre, l'huile, le sel et le sucre.

- Ajouter les carottes. Après 4 min, ajouter les haricots, le céleri, le chou-fleur, le fenouil et les oignons.

- Cuire 20 min à partir du moment où l'on a ajouté les carottes afin que les légumes restent croquants.

- Ajouter les poivrons, mais ne pas les faire bouillir.

- Mettre en pots et couvrir de liquide. Fermer les pots.

Noix marinées au vinaigre

Les marinades

10 POTS

500 g (2 tasses) de cerneaux de noix
1 oignon, haché finement
2 gousses d'ail, hachées finement
2 c. à soupe d'huile d'olive
60 g (2 oz) de gingembre frais râpé
   (facultatif)
1 grosse pomme pelée, vidée et coupée
   finement
2 c. à soupe d'huile de noix (facultatif)
½ à ¾ c. à café (½ à ¾ c. à thé) de noix
   de muscade, râpée
½ c. à café (½ c. à thé) de paprika
375 ml (1 ½ tasse) de vinaigre de vin
   blanc ou de vinaigre de cidre
180 g (¾ tasse) de sucre

- Mettre les noix sur une plaque à pâtisserie et faire dorer au four en remuant souvent.

- Sur une planche à découper, hacher les noix à l'aide du robot de cuisine ou à la main sans les écraser.

- Dans une casserole, faire revenir les oignons et l'ail dans l'huile d'olive jusqu'à tendreté sans les colorer. Ajouter le gingembre.

- Ajouter les noix et le reste des ingrédients. Porter à ébullition.

- Couvrir, baisser le feu et laisser frémir de 15 à 20 min en remuant au besoin.

- Verser dans des pots stérilisés et fermer.

- Attendre 3 semaines avant de consommer. Ces noix sont très bonnes avec du fromage et tous les plats qui en contiennent.

Marinades mixtes

10 POTS

240 g (1 tasse) de gros sel
4 litres (16 tasses) d'eau chaude
600 g (3 tasses) de carottes,
  en tranches
600 g (3 tasses) de céleri, en tranches
1 poivron rouge, en morceaux
2 poivrons verts, en morceaux
1 chou-fleur, en bouquets
300 g (2 tasses) d'oignons à mariner
600 g (3 tasses) de concombres,
  en tranches
400 g (2 tasses) de haricots verts
3 c. à soupe de graines de céleri
1,7 litre (7 tasses) de vinaigre
⅓ tasse de graines de moutarde
120 g (½ tasse) de sucre
Gousses d'ail ou piments

- Faire dissoudre le sel dans l'eau chaude et laisser refroidir.
- Verser l'eau salée sur les légumes et laisser reposer 24 h.
- Égoutter, rincer à l'eau froide et bien égoutter.
- Laisser mijoter les graines de céleri, le vinaigre, les graines de moutarde et le sucre 3 min.
- Incorporer les légumes, porter à ébullition et laisser mijoter 5 min.
- Verser dans des pots stérilisés. Ajouter l'ail dans chaque pot et fermer.

Marinades mélangées sucrées

6 POTS DE 175 ML (¾ TASSE)

480 g (1 lb) de concombres
2 choux-fleurs moyens
1 poivron vert (facultatif)
1 poivron rouge (facultatif)
1 litre (4 tasses) de vinaigre blanc
480 g (2 tasses) de sucre
250 ml (1 tasse) de sirop de maïs
1 c. à soupe de graines de moutarde
1 c. à soupe de graines de céleri
1 c. à café (1 c. à thé) de curcuma
2 c. à soupe de gros sel à marinades
100 g (½ tasse) de petits oignons
 ou de gros oignons, en morceaux

- Couper les concombres en tranches de 1,25 cm (½ po). Couper les choux-fleurs en bouquets. Couper les poivrons en petits morceaux.

- Mélanger le vinaigre, le sucre, le sirop de maïs, les épices et le sel à marinades. Mettre dans une casserole et amener à ébullition.

- Ajouter tous les légumes, ramener à ébullition et laisser bouillir doucement 2 min.

- Mettre les légumes dans des bocaux stérilisés chauds et sceller.

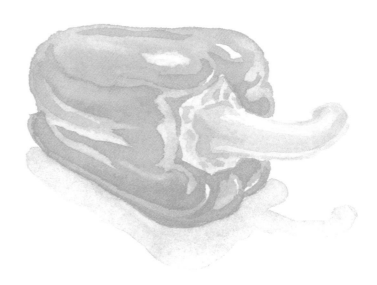

Marinades italiennes

13 POTS DE 375 ML (1 ½ TASSE)

1 chou-fleur
240 g (1 tasse) de gros sel
4 carottes
2 poivrons verts
2 poivrons rouges
Vinaigre
Origan
Basilic
Persil
Ail
Huile

- Défaire le chou-fleur en bouquets et couvrir à égalité d'eau additionnée de 1 tasse de gros sel. Laisser tremper toute la nuit.

- Couvrir les carottes et les poivrons à égalité de vinaigre additionné de gros sel. Laisser tremper 2 h.

- Faire bouillir de 2 à 3 min dans 250 ml (1 tasse) d'eau additionnée de 250 ml (1 tasse) de vinaigre.

- Égoutter les légumes et mélanger avec les fines herbes.

- Remplir les pots en ajoutant des gousses d'ail dans chaque pot et de l'huile.

- Laisser macérer 1 mois pour que les marinades prennent leur goût.

Courgettes à l'ail et à l'aneth

10 POTS DE 250 ML (1 TASSE)

1,5 litre (6 tasses) de vinaigre blanc
360 g (1 ½ tasse) de sucre
80 g (⅓ tasse) de sel à marinades
2 c. à soupe de graines d'aneth
1,8 kg (4 lb) de courgettes non pelées
   coupées en deux, puis en tranches
4 oignons, en fines tranches
2 tomates blanchies, pelées et
   coupées en tranches
Gousses d'ail, épluchées

- Dans une casserole, porter à ébullition le vinaigre, le sucre, le sel à marinades et l'aneth. Verser le mélange bouillant sur les courgettes et les oignons et laisser reposer 1 h.

- Amener à ébullition, ajouter les tomates et cuire 3 min.

- Verser dans des bocaux stérilisés chauds en laissant ⅛ po (3 mm) sous le bord.

- Ajouter 1 gousse d'ail par pot.

- Placer le couvercle et la bague du pot et fermer pendant que c'est encore chaud. Les couvercles rentreront vers l'intérieur après plusieurs heures. On peut alors les remiser pour l'hiver.

Antipasto

8 À 10 POTS DE 175 ML (¾ TASSE)

400 g (2 tasses) de chou-fleur
200 g (1 tasse) de brocoli
2 courgettes, en bâtonnets
2 carottes, en bâtonnets
2 branches de céleri, coupées en biais
 en morceaux de 2 cm (¾ po)
2 navets ou panais
16 petits oignons blancs
240 g (1 tasse) de sel à marinades
2 litres (8 tasses) d'eau
500 ml (2 tasses) de vinaigre blanc
120 g (½ tasse) de sucre
4 gousses d'ail
4 piments chili secs ou 2 piments frais,
 coupés en deux
2 c. à café (2 c. à thé) de graines
 de moutarde
1 c. à soupe de clous de girofle

- Dans un bol, faire des couches de légumes en saupoudrant chaque couche de sel. Verser 1,5 litre (6 tasses) d'eau sur les légumes. Couvrir et réfrigérer toute la nuit.

- Égoutter et rincer à l'eau froide 2 min. Égoutter de nouveau.

- Mélanger 500 ml (2 tasses) d'eau avec le vinaigre et le sucre. Chauffer lentement pour faire fondre le sucre.

- Répartir dans les pots l'ail, les piments, les graines de moutarde et les clous de girofle. Ajouter les légumes.

- Verser la marinade dessus et fermer.

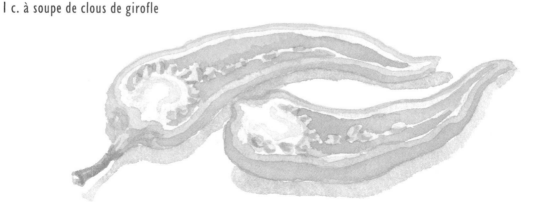

Piccalilli

10 POTS

540 g (2 ⅔ tasses) de chou-fleur
300 g (2 tasses) de petits oignons
300 g (1 ½ tasse) de haricots verts
1 c. à café (1 c. à thé) de curcuma
1 c. à café de graines de moutarde,
   écrasées
2 c. à soupe de fécule de maïs
1,2 litre (4 ½ tasses) de vinaigre

- Couper le chou-fleur en petits morceaux et peler les oignons. Équeuter les haricots verts.

- Dans une petite casserole, mélanger le curcuma, la moutarde et la fécule de maïs. Arroser de vinaigre. Bien mélanger et laisser frémir 10 min.

- Dans une cocotte, verser le vinaigre épicé sur les légumes. Bien mélanger et cuire à feu doux 45 min.

- Verser dans des pots stérilisés et sceller. Conserver dans un endroit sombre et frais.

NOTE : Le piccalilli est une vieille recette anglaise qui date de 1664. Il se marie bien avec les saucisses, le jambon et les charcuteries.

Courgettes marinées

10 POTS

1 kg (2 lb) de petites courgettes
   non pelées, en tranches très minces
2 oignons moyens, en tranches très minces
60 g (¼ tasse) de gros sel
500 ml (2 tasses) de vinaigre blanc
240 g (1 tasse) de sucre
2 c. à café (2 c. à thé) de graines
   de moutarde
1 c. à café (1 c. à thé) de graines
   de céleri
1 c. à café (1 c. à thé) de curcuma

- Dans une casserole, mettre les courgettes, les oignons et le sel. Couvrir d'eau glacée. Laisser reposer 2 h et égoutter.

- Dans une grande casserole, mélanger les ingrédients qui restent et amener à ébullition.

- Ajouter les courgettes et les oignons, ramener à ébullition et laisser bouillir doucement 2 min.

- Mettre les courgettes dans des pots stérilisés chauds et sceller.

45

Cornichons à la moutarde

10 POTS

2 branches de céleri

2,4 kg (16 tasses) de petits
   concombres

1 gros chou-fleur

4 poivrons verts

2 poivrons rouges

3 litres (12 tasses) d'oignons
   à mariner

480 g (2 tasses) de gros sel

12 c. à soupe de moutarde sèche

2 c. à soupe de curcuma

2 c. à soupe de cari

1 kg (2 tasses) de sucre

180 g (1 tasse) de farine

3 litres (12 tasses) de vinaigre
   de cidre

- Couper le céleri en morceaux de 2,5 cm (1 po). Laver et nettoyer les concombres. Couper le chou-fleur en petits bouquets. Épépiner et couper les poivrons en dés. Peler les petits oignons.

- Mélanger tous les légumes avec le gros sel. Laisser reposer 12 h. Le lendemain, bien égoutter.

- Faire une sauce en mélangeant le reste des ingrédients. Cuire à feu moyen sans cesser de remuer, jusqu'à l'obtention d'une sauce lisse et crémeuse. Ajouter les légumes et porter à ébullition sans faire bouillir, ce qui ramollirait les légumes.

- Verser dans des bocaux et sceller.

Chow-chow paysan

12 POTS

4 poivrons verts

720 g (1 ½ lb) de petits oignons blancs
ou 12 oignons moyens

240 g (1 tasse) de gros sel

1,5 litre (6 tasses) d'eau froide

480 g (1 lb) de haricots verts, coupés

480 g (1 lb) de tomates vertes, pelées
et coupées en quartiers

720 g (1 ½ lb) de concombres,
en gros morceaux

1 chou-fleur, en bouquets

4 à 5 branches de céleri, en morceaux
de 1,25 cm (½ po)

60 g (⅔ tasse) de moutarde sèche

1 c. à soupe de curcuma

480 g (2 tasses) de cassonade ou
de sucre roux

180 g (1 tasse) de farine

1 c. à soupe de graines de céleri

2 à 2,25 litres (8 à 9 tasses) de vinaigre
de cidre

- Couper les poivrons en tranches de 2,5 cm
  (1 po). Peler et trancher les oignons. Saupoudrer
  de sel et couvrir d'eau. Laisser reposer 24 h.

- Égoutter les oignons et les poivrons, garder la
  saumure et ajouter 1,5 litre (6 tasses) d'eau. Porter
  à ébullition, ajouter tous les légumes et bouillir
  5 min. Égoutter.

- Mélanger la moutarde, le curcuma, la cassonade,
  la farine et les graines de céleri dans un peu de
  vinaigre pour faire une pâte. Ajouter peu à peu
  le reste du vinaigre en remuant bien pour que la
  pâte reste liée après chaque addition.

- Cuire à feu doux jusqu'à ébullition en remuant
  constamment jusqu'à ce que le mélange épaississe. Laisser mijoter de 2 à 3 min pour que la
  farine soit bien cuite.

- Incorporer les légumes et cuire à petit feu 10 min.
  Porter à ébullition.

- Mettre en pots.

47

Chow-chow créole

10 POTS

200 g (1 tasse) de chou blanc,
en lanières

400 g (2 tasses) de haricots verts

2 poivrons rouges, en dés

1 poivron vert, en dés

400 g (2 tasses) de concombres,
en dés

1 petit chou-fleur, en bouquets

400 g (2 tasses) de tomates vertes,
en morceaux

200 g (1 tasse) de petits oignons

5 c. à soupe de sel de mer

2,25 litres (9 tasses) de vinaigre
de cidre

2 c. à soupe de raifort frais, râpé

8 gousses d'ail, écrasées

2 c. à soupe de graines de moutarde

125 ml (½ tasse) de moutarde forte

1 c. à soupe de curcuma

160 g (⅔ tasse) de cassonade ou
de sucre roux

1,25 litre (5 tasses) d'huile d'olive
ou de tournesol

- Déposer les légumes saupoudrés de sel dans un grand tamis inoxydable et les laisser égoutter environ 12 h en remuant de temps à autre.

- Mettre le reste des ingrédients dans une casserole. Mélanger et porter à ébullition. Laisser mijoter 5 min en remuant constamment. Ajouter les légumes sans les rincer et porter de nouveau à ébullition.

- Cuire à feu doux de 15 à 20 min en veillant à ce que les légumes restent croquants.

- Mettre en pots.

Cornichons à l'aneth

8 POTS

1,8 kg (4 lb) de petits concombres
  (cornichons)
Brins d'aneth frais ou graines d'aneth
1 litre (4 tasses) d'eau
500 ml (2 tasses) de vinaigre blanc
5 c. à soupe de gros sel à marinades

- Bien brosser les concombres. Mettre à tremper toute la nuit dans de l'eau froide. Le lendemain, les égoutter.

- Tasser les concombres dans des bocaux stérilisés chauds en mettant un brin d'aneth dans le fond du bocal et sur le dessus.

- Mélanger l'eau, le vinaigre et le sel à marinades et amener à ébullition. Verser le vinaigre chaud sur les concombres. Sceller les pots.

Cornichons sucrés maison

12 POTS DE 250 ML (1 TASSE)

2 kg (8 tasses) de petits concombres
120 g (½ tasse) de gros sel
2 litres (8 tasses) d'eau
1,4 kg (6 tasses) de cassonade ou
  de sucre roux
1 litre (4 tasses) de vinaigre de cidre
1 c. à soupe de clous de girofle entiers
1 c. à café (1 c. à thé) de graines
  de céleri
1 c. à café (1 c. à thé) de graines
  de moutarde
1 bâton de cannelle
Feuilles de laurier

- Laver les petits concombres et laisser tremper toute la nuit dans la saumure préparée avec le sel et l'eau.

- Le lendemain, égoutter les concombres. Les rincer à l'eau chaude et les égoutter de nouveau.

- Dans une casserole, porter à ébullition la cassonade et le vinaigre. Ajouter les concombres et les épices enveloppées dans une mousseline. Retirer du feu et laisser refroidir les concombres dans le sirop.

- Retirer les épices. Mettre les cornichons dans des bocaux de 250 ml (1 tasse). Ajouter une feuille de laurier dans chaque bocal. On peut aussi ajouter un petit piment fort.

- Porter le sirop à ébullition et remplir les bocaux jusqu'au bord. Sceller.

49

Cornichons glaçons

10 POTS

6 concombres moyens, en fines tranches
3 oignons, en fines tranches
1 poivron vert, en fines tranches
  ou en petits morceaux
1 poivron rouge, en fines tranches
  ou en petits morceaux
60 g (¼ tasse) de gros sel à marinades
500 ml (2 tasses) de vinaigre de cidre
480 g (2 tasses) de sucre granulé
2 c. à café (2 c. à thé) de graines
  de céleri
2 c. à café (2 c. à thé) de graines
  de moutarde
1 c. à café (1 c. à thé) de curcuma

- Mélanger les concombres dans un grand bol avec les oignons, les poivrons et le sel à marinades.

- Mettre à tremper 3 h dans de l'eau glacée en rajoutant de la glace au fur et à mesure qu'elle fond. Bien égoutter.

- Dans une casserole, mélanger les ingrédients restants. Amener à ébullition. Laisser bouillir 5 min. Ajouter les légumes et ramener à ébullition.

- Mettre les concombres dans des bocaux stérilisés chauds et les couvrir avec le liquide. Sceller les pots.

Petits cornichons au vinaigre

10 POTS

Cornichons frais de 5 à 6 cm
  (environ 2 po)
480 g (1 tasse) de sel
20 gousses d'ail
Petits oignons
Brins de thym ou d'estragon
Feuilles de laurier
½ c. à café (½ c. à thé) de grains
  de poivre blanc et noir
Clous de girofle
2 litres (8 tasses) de vinaigre

- Mettre les cornichons dans un plat et saupoudrer de sel. Laisser dégorger une journée en retournant souvent.

- Le lendemain, ils seront totalement mous et souples. Les éponger un à un pour enlever le sel.

- Dans les bocaux, mettre les cornichons et ajouter 2 gousses d'ail entières pelées, plusieurs petits oignons, un brin de thym, une feuille de laurier, le poivre et plusieurs clous de girofle.

- Couvrir de vinaigre et fermer les pots.

SUGGESTION : On sert traditionnellement les cornichons avec le pot-au-feu, les viandes froides et les pâtés. Ajoutez-les hachés menu à la sauce rémoulade ou gribiche. Ils sont aussi délicieux avec la fondue au fromage et la raclette.

Les *chutneys*

Le chutney est originaire de l'Inde. Ce sont les Anglais qui l'ont fait connaître dans le monde entier. Le mot chutney signifie « épice forte ». Il doit contenir au moins un fruit séché (raisins secs, dattes, figues, abricots, etc.). Toute la préparation doit cuire lentement dans le vinaigre et le sucre pour faire un confit aigre-doux.

Il faut attendre un mois et plus avant de l'utiliser. Plus il vieillit, meilleur il est. On peut s'en servir pour relever la saveur des viandes rôties ou grillées, du poisson ou de la volaille. Il donne du piquant aux sandwiches à la viande et on l'appréciera également avec du fromage et des craquelins ou comme sauce-trempette avec de la crème sure, du yogourt ou du fromage à la crème.

Le chutney le plus connu est celui à la mangue, mais il existe autant de chutneys qu'il y a de fruits et de légumes. En voici quelques-uns.

Chutney aux mangues

5 À 6 POTS

3 belles mangues, en grosses bouchées
180 g (1 tasse) de raisins secs
150 g (1 tasse) d'oignons, hachés
100 g (½ tasse) de gingembre frais
  émincé
2 gousses d'ail, hachées
500 ml (2 tasses) de vinaigre de cidre
480 g (2 tasses) de cassonade
  ou de sucre roux
1 c. à soupe de gros sel
Le jus de 2 citrons verts (limes)
Dans un sachet :
2 c. à soupe de graines de moutarde
5 clous de girofle
½ bâton de cannelle en morceaux
1 c. à soupe de poivre en grains

- Mettre tous les ingrédients dans la casserole avec les épices réunies dans un sachet.

- Chauffer jusqu'à ébullition. Réduire le feu et laisser mijoter doucement 1 h.

- Mettre en pots et fermer.

Chutney aux tomates nº 1

10 POTS

1 kg (2 lb) de tomates, pelées
180 g (1 tasse) de raisins secs
150 g (1 tasse) d'oignons, hachés
240 g (1 tasse) de sucre en poudre
750 ml (3 tasses) de vinaigre

- Peler et hacher les tomates en gros morceaux.
- Mettre dans une casserole. Ajouter les autres ingrédients.
- Amener à ébullition et laisser mijoter 2 h à découvert.
- Mettre en pots et fermer.
- Laisser macérer 2 mois avant de déguster avec du pain frais et un bon fromage.

Chutney aux tomates nº 2

10 POTS

1 kg (2 lb) de tomates, hachées
  grossièrement
120 g (4 oz) de gingembre frais,
  en fines lamelles
8 poivrons verts, épépinés et hachés
24 grosses gousses d'ail, hachées
1 c. à soupe de cassonade ou de sucre
  roux
1 c. à café (1 c. à thé) de sel de mer
90 g (½ tasse) de raisins secs
675 ml (2 ¾ tasses) de vinaigre
  de cidre

- Mettre tous les ingrédients, sauf le vinaigre, dans une casserole à fond épais. Ajouter la moitié du vinaigre. Porter à ébullition.
- Cuire à feu doux 20 min en remuant souvent, jusqu'à tendreté.
- Ajouter le reste du vinaigre. Faire bouillir et baisser le feu. Laisser réduire le chutney ; il ne doit pas rester de liquide.
- Remplir les pots chauds. Fermer les pots.
- Servir avec des viandes froides, des fromages à pâte dure et des biscottes.

Chutney à l'aubergine et à l'ail

4 POTS DE 250 ML (1 TASSE)

1 kg (2 lb) d'aubergines, en cubes
  de 2,5 cm (1 po)
2 c. à soupe de sel
3 c. à soupe d'huile d'olive, d'arachide
  ou de sésame
3 c. à soupe de graines de sésame
4 têtes d'ail, épluchées
225 g (1 ½ tasse) d'échalotes,
  coupées en quatre
2 ou 3 poivrons rouges ou verts,
  hachés
750 ml (3 tasses) de vinaigre
  de cidre ou de vinaigre de vin blanc
1 c. à soupe de paprika doux
160 g (⅔ tasse) de cassonade
  ou de sucre roux
90 g (½ tasse) de raisins secs

- Dans une passoire, saupoudrer les aubergines avec la moitié du sel. Bien remuer et laisser dégorger 1 h. Rincer et sécher soigneusement avec du papier absorbant.

- Chauffer l'huile dans une marmite et faire revenir les graines de sésame jusqu'à ce qu'elles commencent à sauter.

- Ajouter les aubergines, l'ail, les échalotes et les poivrons et cuire environ 5 min en remuant souvent.

- Ajouter le vinaigre, porter à ébullition et faire cuire à feu doux 15 min, jusqu'à ce que les aubergines ramollissent. Incorporer le paprika, la cassonade, les raisins secs et le sel restant sans cesser de remuer.

- Augmenter un peu la chaleur et cuire de 45 min à 1 h en remuant souvent. Laisser la préparation épaissir. Retirer ensuite la marmite du feu.

- Verser dans des pots stérilisés et fermer.

Chutney à la citrouille

10 POTS

1,5 kg (6 tasses) de citrouille,
  en cubes
1 kg (4 tasses) de pommes, pelées
  et coupées en cubes
5 c. à soupe de gingembre frais, râpé
3 ou 4 poivrons rouges, épépinés
  et émincés
4 c. à soupe de graines de moutarde
1 litre (4 tasses) de vinaigre de cidre
  ou ordinaire
45 g (¼ tasse) de raisins secs
480 g (2 tasses) de cassonade
  ou de sucre blanc
1 c. à soupe de sel

- Dans une casserole, mettre tous les ingrédients, sauf la cassonade et le sel.

- Porter à ébullition et baisser le feu. Cuire à feu doux environ 25 min, jusqu'à ce que la citrouille devienne molle.

- Ajouter la cassonade et le sel.

- Porter à ébullition en remuant jusqu'à dissolution complète de la cassonade.

- Baisser le feu et cuire 1 h en remuant souvent.

- Mettre en pots chauds et stérilisés et sceller.

SUGGESTION : Ajoutez quelques cuillerées de chutney à du riz blanc pour accompagner les rôtis. Il est aussi délicieux avec le poulet ou les crevettes.

Chutney aux canneberges

5 POTS

480 g (1 lb) de canneberges
480 g (1 lb) de pommes, évidées
  et émincées
90 g (½ tasse) de raisins secs
30 g (¼ tasse) de gingembre frais,
  râpé
1 orange, hachée
½ bâton de cannelle
Une pincée de clou de girofle moulu
Sel
360 g (1 ½ tasse) de sucre
500 ml (2 tasses) de vinaigre

- Mettre tous les ingrédients dans une casserole. Cuire à feu doux et remuer pour dissoudre le sucre.

- Porter à ébullition et laisser mijoter 30 min en remuant.

- Le chutney est prêt lorsque les fruits sont tendres et que le liquide est absorbé.

- Mettre le chutney dans des pots stérilisés et fermer.

- Ce chutney est excellent avec la dinde, le poulet, le porc et le veau.

Chutney épicé aux pêches

5 pots de 250 ml (1 tasse)

600 g (3 tasses) de pêches, pelées
90 g (½ tasse) de raisins secs
3 c. à soupe de vinaigre
1 c. à soupe d'oignons, râpés
2 c. à soupe de gingembre, effilé
1 c. à café (1 c. à thé) de sel
1 c. à café (1 c. à thé) de piment
   de la Jamaïque moulu
½ c. à café (½ c. à thé) de clou
   de girofle moulu
½ c. à café (½ c. à thé) de cannelle
   moulue
240 g (1 tasse) de cassonade tassée
1 boîte de pectine en cristaux
   (Certo léger)
480 g (2 tasses) de sucre

- Dénoyauter les pêches et les hacher finement à l'aide du robot de cuisine. Mesurer 750 ml (3 tasses).

- Mettre les pêches dans la casserole avec les raisins secs, le vinaigre, les oignons, le gingembre, le sel, les épices et la cassonade.

- Préparer la pectine avec 60 g (¼ tasse) de sucre. Ajouter au mélange de fruits en remuant bien. Laisser reposer 30 min en remuant souvent.

- Ajouter le sucre restant. Remuer pour bien le dissoudre.

- Mettre en pots rapidement. Sceller.

SUGGESTION: Ce chutney est excellent pour accompagner la dinde de l'Action de grâces ou de Noël. Il se marie aussi très bien avec le porc et le veau.

Chutney à l'ananas

5 À 6 POTS DE 250 ML (1 TASSE)

1 petit ananas frais ou en conserve
   (396 ml/14 oz)
1 c. à café (1 c. à thé) de clous
   de girofle entiers
250 ml (1 tasse) de vinaigre
   de vin blanc
½ c. à café (½ c. à thé) d'assaisonnement
   au chili
120 g (½ tasse) de cassonade dorée
   ou de sucre roux
60 g (⅓ tasse) de raisins secs
3 c. à soupe de miel
Sel et poivre

- Couper la chair de l'ananas en grosses bouchées.

- Mettre tous les ingrédients dans une grande casserole. Porter à ébullition. Réduire le feu et laisser mijoter de 10 à 15 min.

- Verser dans des pots chauds et sceller.

Les relishs, les achards et les moutardes

Les relishs, les achards
et les moutardes

Relish maison

6 POTS

12 petits concombres non pelés
2 oignons moyens
1 poivron vert
1 poivron rouge
3 c. à soupe de gros sel
375 ml (1 ½ tasse) de vinaigre blanc
360 g (1 ½ tasse) de cassonade ou
   de sucre roux
2 c. à soupe d'épices à marinades,
   dans un sachet

- Passer les légumes au hachoir avec la lame grossière ou les hacher très finement.

- Saler et laisser reposer toute la nuit. Le lendemain, égoutter et rincer à l'eau froide.

- Mélanger le vinaigre, le sucre et les épices. Amener à ébullition et laisser mijoter 10 min.

- Ajouter les légumes et faire chauffer jusqu'au point d'ébullition.

- Retirer le sachet d'épices.

- Mettre en pots.

Relish aux légumes

10 POTS

300 g (1 ½ tasse) de chou
300 g (1 ½ tasse) de poivrons verts
300 g (1 ½ tasse) de poivrons rouges
450 g (3 tasses) d'oignons
1,5 litre (6 tasses) de carottes
1 litre (4 tasses) de vinaigre
450 ml (1 ¾ tasse) de sirop de maïs
1 c. à soupe de graines de céleri
1 c. à soupe de graines de moutarde
4 c. à café (4 c. à thé) de sel

- Hacher les légumes très finement.

- Verser de l'eau bouillante sur les légumes et laisser tremper 5 min. Égoutter.

- Mélanger tous les autres ingrédients aux légumes dans une casserole.

- Amener à ébullition en remuant souvent et continuer à faire chauffer, jusqu'à épaississement. Le tout prendra environ 20 min.

- Mettre dans des pots chauds et stérilisés et fermer.

Relish aux courgettes

10 POTS

1,5 kg (10 tasses) de courgettes,
   râpées
600 g (4 tasses) d'oignons, hachés
80 g (⅓ tasse) de gros sel
625 ml (2 ½ tasses) de vinaigre
1,2 kg (4 ¾ tasses) de sucre
1 c. à soupe de fécule de maïs délayée
   dans une quantité égale d'eau froide
1 c. à soupe de moutarde sèche
1 c. à soupe de curcuma
2 c. à café (2 c. à thé) de sel de céleri
2 c. à café (2 c. à thé) de graines
   de moutarde
½ c. à café (½ c. à thé) de poivre noir

- Déposer les courgettes et les oignons dans un grand bol. Saupoudrer de gros sel, bien mélanger et laisser dégorger 8 h.

- Égoutter les légumes 1 h dans une passoire pour les débarrasser de leur excédent d'eau.

- Rincer les légumes et les essuyer dans un linge propre. Déposer les légumes dans une grande casserole.

- Ajouter le vinaigre, le sucre, la fécule de maïs délayée et le reste des ingrédients.

- Amener à ébullition et réduire la chaleur. Laisser mijoter 25 min.

- Mettre en pots.

Relish piquant aux deux poivrons

10 POTS

3 poivrons rouges
3 poivrons verts
5 piments jalapeños
250 ml (1 tasse) de vinaigre
   de cidre
1 kg (4 tasses) de sucre
250 ml (1 tasse) de pectine liquide

- Épépiner et hacher les légumes finement. Mettre dans une casserole avec le vinaigre.

- Ajouter le sucre. Mettre la casserole à feu vif et porter à ébullition sans cesser de remuer.

- Ajouter la pectine. Laisser sur le feu à gros bouillons pendant 1 min. Retirer du feu.

- Remuer et écumer. Attendre 15 min avant de mettre dans les pots pour que les poivrons ne flottent pas.

- Mettre dans des pots stérilisés chauds. Sceller.

Relish aux tomates vertes et aux deux poivrons

10 pots

8 grosses tomates vertes

4 poivrons rouges

4 poivrons verts

½ chou

4 gros oignons

2 c. à café (2 c. à thé) de gros sel

180 g (¾ tasse) de sucre

175 ml (¾ tasse) de vinaigre

2 c. à café (2 c. à thé) de graines
  de moutarde

¼ c. à café (¼ c. à thé) de curcuma

- Hacher les tomates à l'aide du robot de cuisine. Couper les poivrons, le chou et les oignons en cubes.

- Mettre les légumes dans une grande bassine avec le sel et laisser reposer toute la nuit.

- Bien égoutter les légumes.

- Mélanger avec le reste des ingrédients. Amener à ébullition. Cuire à feu vif 20 min en remuant.

- Mettre en pots.

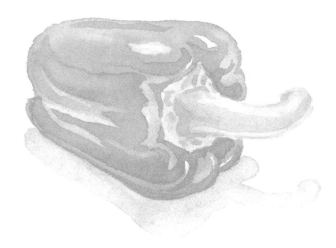

Relish aigre-doux aux tomates et aux ananas

10 POTS

10 tomates fraîches ou en conserve

300 g (1 ½ tasse) d'ananas broyé, frais ou en conserve

2 c. à soupe de vinaigre

2 c. à café (2 c. à thé) de sauce Worcestershire

½ c. à café (½ c. à thé) de piment de la Jamaïque

½ c. à café (½ c. à thé) de cannelle moulue

¼ c. à café (¼ c. à thé) de clou de girofle moulu

½ c. à café (½ c. à thé) de sel

1,4 kg (6 tasses) de sucre

1 ou 2 sachets de pectine liquide (facultatif)

- Mettre tous les ingrédients (sauf le sucre) dans une casserole.

- Mélanger et briser les tomates en morceaux.

- Ajouter le sucre dans le jus des tomates et les ananas et bien mélanger.

- Porter à ébullition à feu vif en remuant constamment.

- Si le mélange est trop liquide, ajouter de la pectine. Porter rapidement à ébullition à feu vif 1 min en remuant tout le temps.

- Écumer et verser rapidement dans les pots chauds. Sceller.

Relish à l'ancienne

5 À 6 POTS DE 250 ML (1 TASSE)

800 g (4 tasses) de concombres
600 g (3 tasses) de poivrons verts
250 g (1 ¼ tasse) de poivrons rouges
250 g (1 ¼ tasse) de poivrons jaunes
375 g (2 ½ tasses) d'oignons
200 g (1 tasse) de céleri
2 c. à soupe de piment fort (facultatif)
60 g (¼ tasse) de sel à marinades
Eau froide
780 g (3 ¼ tasses) de sucre granulé
500 ml (2 tasses) de vinaigre blanc
1 c. à soupe de graines de moutarde
1 c. à soupe de graines de céleri

- Hacher finement les légumes à l'aide du robot de cuisine et les mélanger dans un grand bol.

- Saupoudrer de sel à marinades et couvrir d'eau froide. Laisser reposer à la température ambiante de 3 à 4 h.

- Égoutter. Bien rincer à l'eau froide à deux reprises et presser les légumes pour extraire le plus d'eau possible.

- Dans une grande casserole épaisse, mélanger le sucre, le vinaigre, les graines de moutarde et les graines de céleri. Chauffer à découvert jusqu'à ébullition.

- Ajouter les légumes égouttés et ramener à ébullition. Laisser bouillir de 10 à 15 min en remuant souvent.

- Le relish est à point quand les légumes ont une apparence presque translucide et que la préparation est suffisamment épaisse.

- Mettre immédiatement dans des bocaux à conserve stérilisés et chauds. Sceller.

Relish de grand-mère Simone

10 POTS

10 concombres moyens non pelés,
  coupés en deux, épépinés,
  et hachés finement
1,2 kg (8 tasses) d'oignons, hachés
  finement
1 poivron rouge, haché finement
1 poivron vert, haché finement
4 tomates vertes, hachées finement
120 g (½ tasse) de gros sel
1,25 litre (5 tasses) de vinaigre
1,5 kg (5 tasses) de sucre
½ c. à café (½ c. à thé) de moutarde
  sèche
2 c. à café (2 c. à thé) de graines
  de céleri
½ c. à café (½ c. à thé) de curcuma

- Dans un grand bol, mélanger les concombres, les oignons, les poivrons, les tomates et le sel avec les mains et laisser reposer toute la nuit.

- Le lendemain matin, mettre dans une passoire et rincer à l'eau froide. Laisser égoutter longuement.

- Dans une grande casserole, chauffer le vinaigre. Ajouter le mélange de légumes et le sucre. Chauffer jusqu'à ébullition et baisser le feu. Laisser mijoter à découvert 1 h à feu doux.

- Ajouter la moutarde sèche, les graines de céleri et le curcuma. Cuire de 1 à 2 h de plus, jusqu'à consistance voulue.

- Laisser refroidir et mettre dans des pots stérilisés.

NOTE : Hachez les légumes à l'aide du robot de cuisine pour gagner du temps.

Moutarde aux fruits

8 POTS

120 g (1 tasse) de moutarde sèche
240 g (1 tasse) de cassonade ou
   de sucre roux
250 ml (1 tasse) de vinaigre de vin
   blanc
180 g (1 tasse) de fruits mélangés
   séchés : abricots, cerises, raisins
50 g (¼ tasse) de pommes séchées,
   coupées
Gingembre confit
1 c. à café (1 c. à thé) de sel

- Délayer la moutarde dans 300 ml (1 ¼ tasse) d'eau, laissez reposer 1 h.

- Dans une casserole, mettre la cassonade et le vinaigre et faire dissoudre le sucre à feu doux. Faire bouillir à feu moyen pour obtenir un léger épaississement.

- Ajouter tous les fruits, le gingembre, le sel et la moutarde. Porter rapidement à ébullition en remuant.

- Baisser le feu et laisser mijoter doucement pour épaissir.

- Laisser refroidir. Mettre en pots en enlevant l'air et fermer.

- Laisser reposer 2 mois avant de consommer. Servir avec la volaille rôtie ainsi que les viandes grillées ou rôties.

NOTE : Pour accélérer la préparation, remplacez les trois premiers ingrédients par de la moutarde préparée ordinaire ou de la moutarde de type Dijon.

Moutarde aux bleuets et au miel

6 À 8 POTS DE 125 ML (½ TASSE)

250 ml (1 tasse) de moutarde
  à l'ancienne préparée
500 g (¼ tasse) de bleuets, hachés
  à l'aide du robot de cuisine
125 ml (½ tasse) de miel

- Mélanger tous les ingrédients et laisser macérer 1 h.
- Mettre en pots stérilisés et sceller.

Moutarde aux noisettes et au miel

6 À 8 POTS DE 125 ML (½ TASSE)

250 ml (1 tasse) de moutarde préparée
  Dijon ou autre
60 g (½ tasse) de noisettes, hachées
125 ml (½ tasse) de miel

- Bien mélanger et laisser macérer 1 h.
- Mettre en pots stérilisés et sceller.

NOTE : Si la moutarde est trop épaisse, ajoutez quelques cuillerées d'huile d'olive ou de noix.

Moutarde à l'oignon

4 À 6 POTS DE 125 ML (½ TASSE)

250 ml (1 tasse) de moutarde préparée
  Dijon ou autre
1 oignon, haché
2 c. à café (2 c. à thé) de miel
75 g (½ tasse) d'oignons déshydratés
75 g (½ tasse) de petits oignons perlés
  (facultatif)

- Faire tomber les oignons hachés sans les faire colorer. Ajouter les oignons déshydratés et les petits oignons.

- Cuire de 15 à 30 min à feu doux. Laisser refroidir.

- Bien mélanger les oignons avec les autres ingrédients.

- Laisser macérer 1 h pour que les saveurs se mélangent bien.

- Mettre en pots stérilisés et sceller.

Achards printaniers

8 POTS

10 tomates vertes

5 tomates mûres

2 poivrons verts

2 poivrons rouges

4 branches de céleri

1 concombre, pelé

½ chou

4 oignons

160 g (⅔ tasse) de gros sel

1,5 litre (6 tasses) de vinaigre blanc

2 c. à café (2 c. à thé) de moutarde
sèche

2 c. à café (2 c. à thé) de paprika

2 c. à soupe d'épices à marinades,
dans un sachet

875 ml à 1 litre (3 ½ à 4 tasses)
de cassonade ou de sucre roux

- Laver les légumes et les hacher en gros morceaux.

- Dans un grand bol, faire des couches de légumes et de sel et laisser reposer jusqu'au lendemain. Bien égoutter.

- Faire chauffer ensemble le vinaigre, les épices et la cassonade. Ajouter les légumes bien égouttés et laisser mijoter 1 h en remuant de temps à autre. Retirer le sachet d'épices et porter à ébullition.

- Mettre en pots et sceller.

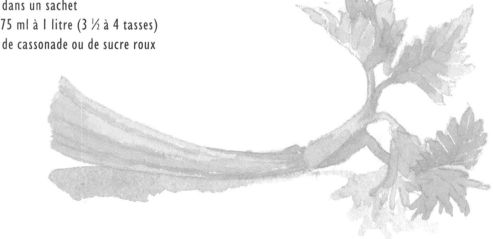

Achards d'octobre

13 POTS

2 lb (1 kg) de tomates vertes,
  en gros morceaux
1 poivron vert, haché
1 poivron rouge, haché
3 oignons moyens, hachés
500 ml (2 tasses) de vinaigre
600 g (2 ½ tasses) de cassonade
  ou de sucre roux tassé
1 c. à soupe de gros sel
1 c. à soupe de graines de moutarde
2 c. à café (2 c. à thé) de graines
  de céleri
½ c. à café (½ c. à thé) de curcuma
⅛ c. à café (⅛ c. à thé) de poivre
  de Cayenne
6 à 7 grosses pommes, pelées
  et coupées en gros morceaux

- Mélanger tous les ingrédients, sauf les pommes.
- Laisser mijoter à découvert 30 min.
- Ajouter les pommes et laisser mijoter à découvert environ 20 min, jusqu'à ce que le mélange épaississe.
- Mettre en pots.

77

Achards de maïs

8 À 10 POTS

8 épis de maïs
2 poivrons rouges
2 poivrons verts, en dés
2 oignons, en dés
8 branches de céleri, en dés
1,25 litre (5 tasses) de vinaigre
   de cidre
720 g (3 tasses) de sucre
1 c. à soupe de graines de moutarde
1 c. à soupe de sel
4 baies de piment de la Jamaïque

- Égrener le maïs avec un couteau.

- Mettre tous ingrédients dans une marmite à feu doux. Bien remuer pour dissoudre le sucre.

- Porter à ébullition en remuant, puis laisser mijoter 30 min en remuant souvent. Les légumes doivent rester tendres.

- Remplir les pots chauds de la préparation bouillante et mettre en pots. Sceller.

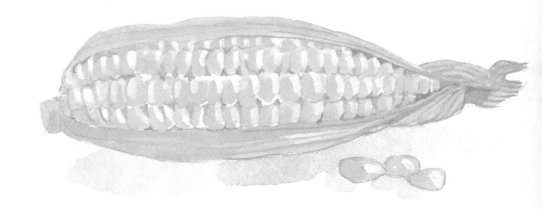

Achards de canneberges

8 POTS

480 g (2 tasses) de canneberges
 fraîches
1 orange
40 g (¼ tasse) d'oignons, hachés
100 g (½ tasse) de poivrons verts,
 hachés
250 ml (1 tasse) de vinaigre de cidre
375 ml (1 ½ tasse) de sucre
1 boîte de jus d'orange concentré
 congelé
90 g (½ tasse) de raisins secs
 sans pépins
½ c. à café (½ c. à thé) de gingembre
 moulu
¼ c. à café (¼ c. à thé) de clou de girofle
 moulu
½ c. à café (½ c. à thé) de gros sel

- Laver et trier les canneberges.

- Enlever le zeste de l'orange et le couper en fines lamelles. Mélanger avec les canneberges.

- Hacher l'orange en gros morceaux et ajouter aux canneberges.

- Mélanger le reste des ingrédients.

- Amener à ébullition et laisser mijoter à découvert, en remuant souvent, de 20 à 30 min, jusqu'à ce que le mélange épaississe.

- Mettre en pots.

Les **huiles**, les **vinaigres** et les **vinaigrettes**

L'huile et le vinaigre sont les vedettes des pages suivantes.

Il est important de toujours prendre une huile de qualité. Toutes les herbes peuvent être mises dans l'huile, une seule ou plusieurs à la fois.

Le vinaigre est indispensable en cuisine. Il sert à la conservation des légumes et des fruits, ainsi qu'aux assaisonnements. Il doit être conservé au frais à l'abri de la lumière. Il n'est pas nécessaire de le mettre au réfrigérateur. Il sert à déglacer et donne du piquant aux sauces à base de tomate. Il se marie bien avec les fruits tels que les fraises et les framboises puisqu'il met leur goût en valeur.

Huile piquante pour la pizza

12 piments rouges séchés
1 litre (4 tasses) d'huile neutre, canola
  ou autre
1 ½ c. à soupe de poivre de Cayenne
2 c. à soupe de piments rouges broyés

- Dans de belles bouteilles stérilisées, mettre tous les ingrédients.
- Ajouter l'huile.
- Laisser macérer 3 semaines à l'abri de la lumière.

SUGGESTION : En plus de la pizza ou des pâtes, on peut l'utiliser dans tous les plats à la mode mexicaine ou sud-américaine.

Huile au basilic

1 litre (4 tasses) d'huile d'olive
5 branches de basilic frais
6 gousses d'ail
1 échalote française

- Mettre tous les ingrédients à macérer dans un gros pot ou une bouteille 2 mois.
- Filtrer et mettre dans une ou deux bouteilles décoratives.

Huile au thym

1 litre (4 tasses) d'huile d'olive
6 branches ou plus de thym
Zeste de citron

- Froisser légèrement le thym dans une main pour libérer l'arôme et le mettre dans un grand pot.

- Ajouter le zeste de citron.

- Remplir d'huile.

- Laisser macérer 2 mois au frais sans lumière.

- Remplir de belles bouteilles décoratives.

- Verser quelques gouttes sur de la truite ou du saumon cuit pour en rehausser la saveur.

Vinaigre à l'estragon (ou autres herbes)

1 litre (4 tasses) de vinaigre
  de vin blanc ou de vinaigre de cidre
4 branches d'estragon ou plus

- Mettre l'estragon et le vinaigre dans des bouteilles stérilisées.

- Laisser macérer 1 mois.

- Ajouter quelques brindilles d'estragon dans chaque bouteille stérilisée et fermer.

NOTE : Il est important de toujours utiliser des herbes bien propres et sèches pour les infuser dans le vinaigre.

84

Vinaigre aux framboises

480 g (2 tasses) de framboises
1 litre (4 tasses) de vinaigre
 de vin blanc ou ordinaire
120 g (½ tasse) de sucre

- Mettre les framboises et le vinaigre dans un bocal stérilisé.

- Laisser macérer 1 mois en remuant de temps à autre.

- Filtrer le vinaigre dans une passoire fine au-dessus d'une casserole en écrasant les fruits pour libérer leur parfum.

- Laisser égoutter 2 h.

- Ajouter le sucre au vinaigre. Porter à ébullition et laisser faire quelques bouillons.

- Refroidir et mettre en bouteilles stérilisées. Conserver au frais à l'abri de la lumière.

- Toujours bien étiqueter les bouteilles.

- Toutes les baies et tous les petits fruits peuvent être mis en vinaigre. Les préparer comme pour le vinaigre de framboise.

Vinaigre épicé

2 bâtons de cannelle

4 c. à café (4 c. à thé) de clous
de girofle

4 c. à café (4 c. à thé) de graines
de piment de la Jamaïque

1 c. à soupe de grains de poivre noir

2 litres (8 tasses) de vinaigre
de cidre ou ordinaire

- Diviser les épices dans deux bouteilles stérilisées.

- Verser doucement le vinaigre sur les épices jusqu'à 3 mm (⅛ po) du bord.

- Boucher les bouteilles et secouer vivement.

- Étiqueter et laisser macérer 2 mois au frais et sans lumière.

- Secouer de temps à autre.

NOTE : Le vinaigre épicé peut servir dans les marinades de fruits ou de légumes.

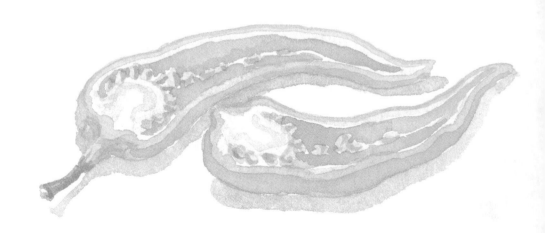

Vinaigre aux agrumes

1 litre (4 tasses) de vinaigre de vin
   blanc ou autre
2 citrons
1 orange
2 citrons verts (limes)
Une pincée paprika
Poivre
Sel de mer

- Verser le vinaigre dans une casserole.

- Couper 1 citron en tranches très fines. Zester l'autre citron, l'orange et les citrons verts.

- Ajouter le paprika, le jus d'un citron vert, le sel et le poivre. Faire bouillir.

- Laisser refroidir.

- Remplir un bocal et faire macérer de 15 jours à 1 mois en remuant de temps à autre.

- Filtrer dans une passoire très fine.

- Mettre en bouteilles stérilisées et étiqueter.

Vinaigre au miel

1 litre (4 tasses) de vinaigre de cidre
de qualité
4 c. à soupe de miel

- Verser le vinaigre et le miel dans une bouteille. Fermer les pots

- Laisser reposer 4 semaines dans un endroit sec à l'abri de la lumière.

- Ce vinaigre est délicieux en vinaigrette ou pour déglacer une viande (magret de canard, voir p. 89).

Vinaigre aux pétales de rose

1 litre (4 tasses) de vinaigre de vin
blanc
720 g (1 ½ lb) de pétales de rose
très parfumés

- Mettre les pétales de rose dans un grand bocal stérilisé et couvrir de vinaigre.

- Fermer le bocal. Faire macérer 15 jours en remuant de temps à autre.

- Passer le vinaigre dans un tamis ou une passoire très fine.

- Mettre en bouteilles stérilisées et sceller.

- Conserver dans un endroit frais et sombre.

- Ce vinaigre donne une touche originale aux salades ou aux mayonnaises auxquelles on ajoutera quelques pétales de rose.

Magret de canard au vinaigre de miel

2 beaux magrets de canard
Sel et poivre moulu
1 c. à soupe de vinaigre de miel

- Couper légèrement la peau des magrets avec un couteau pointu.

- Saler et poivrer généreusement la chair des magrets.

- Chauffer une cocotte et mettre les magrets, côté peau au fond.

- Cuire 10 min. Oter la graisse de la cocotte et retourner les magrets.

- Cuire 3 min. Retirer les magrets et les réserver au chaud.

- Ôter le gras de cuisson et ajouter le vinaigre de miel. Frotter le fond de la cocotte avec une cuillère de bois pour récupérer les sucs de la viande.

- Servir aussitôt les magrets arrosés de jus vinaigré.

Huile au romarin

1 litre (4 tasses) d'huile d'olive
4 à 6 branches de romarin frais
  un peu sec

- Froisser les branches de romarin dans une main pour libérer les arômes.

- Répartir les branches dans des bouteilles stérilisées.

- Ajouter l'huile. Fermer les bouteilles.

- Remuer fortement et laisser macérer 1 mois en remuant de temps à autre.

- Cette huile est excellente pour badigeonner les viandes et les légumes avant de les faire griller. Utiliser aussi avec des pâtes ou sur de la pizza.

Vinaigrette aux deux moutardes

1 c. à soupe de moutarde au miel

1 c. à soupe de moutarde à l'ancienne

4 c. à soupe de miel liquide

Sel

3 c. à soupe d'huile

3 c. à café (3 c. à thé) de jus de citron
jaune ou vert

- Mélanger les moutardes, le miel et le sel dans un bol.

- Ajouter l'huile et le citron. Mélanger pour obtenir une vinaigrette bien onctueuse.

- Ajouter de l'huile selon la consistance désirée.

SUGGESTION : Servir sur une salade de fruits de mer et de pâtes. Ajouter de l'huile et du poivre au goût, si désiré.

Vinaigrette aux framboises

125 ml (½ tasse) de porto

80 ml (⅓ tasse) de vinaigre de framboise

60 ml (¼ tasse) de sirop d'érable

80 ml (⅓ tasse) d'huile aromatisée

1 c. à soupe d'ail, haché

Sel et poivre

- Bien mélanger les ingrédients et intégrer l'huile en fouettant. Servir avec les salades tièdes de foie de gibier ou de canard.

Autres bonnes recettes

Autres bonnes recettes

Les olives de maman

Cette recette a été rapportée d'Algérie par ma mère.

Olives noires de Kalamata
Grains de coriandre
Cumin
Ail
Thym
Romarin
Laurier
Huile d'olive

- Égoutter les olives dans une passoire et rincer à l'eau froide. Bien égoutter et éponger avec du papier absorbant ou une serviette.

- Piler légèrement la coriandre et le cumin. Blanchir l'ail.

- Remplir un pot stérilisé d'olives jusqu'à 2 cm (¾ po) du bord et ajouter les épices, l'ail, le thym, le romarin et le laurier. Ajouter l'huile pour couvrir.

- Passer un couteau autour du pot pour enlever l'air. Ajouter de l'huile jusqu'à 1,25 cm (½ po) du bord.

- Fermer et étiqueter.

- Laisser macérer au moins 1 semaine dans un endroit frais et sombre. Elles seront meilleures avec le temps.

Autres bonnes recettes

Herbes salées

10 POTS

30 g (1 tasse) de ciboulette fraîche
30 g (1 tasse) persil frais
150 g (1 tasse) d'échalotes fraîches
   (partie verte seulement)
150 g (1 tasse) poireaux (partie verte
   seulement)
30 g (1 tasse) de sarriette fraîche
100 g (2 tasses) de feuilles de céleri
10 g (¼ tasse) de sauge fraîche
50 g (¼ tasse) de carottes, râpées
480 g (2 tasses) de gros sel
60 ml (¼ tasse) d'eau froide

- Laver et bien éponger les fines herbes. Ajouter les légumes. Hacher très finement à la main ou à l'aide du robot de cuisine.

- Mettre dans un grand bol avec le gros sel. Mélanger. Ajouter l'eau froide.

- Mettre dans des pots stérilisés, presser légèrement et fermer. Laisser macérer 1 semaine. Utiliser pour aromatiser les ragoûts, les soupes et les sauces. Les herbes salées donnent bon goût à la soupe aux pois, aux omelettes et au hachis. Pour les dessaler, rincez-les à l'eau froide dans une passoire.

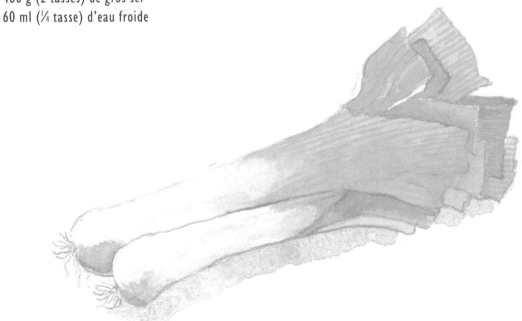

Citrons à l'huile d'olive

Autres bonnes recettes

8 POTS

6 citrons
100 g (moins de ½ tasse) de sel
  de mer
2 piments rouges séchés
2 feuilles de laurier
5 c. à café (5 c. à thé) de paprika
1 c. à café (1 c. à thé) de piment de
  Cayenne
300 ml (1 tasse + 3 c. à soupe) d'huile
  d'olive

- Laver les citrons et les couper en tranches épaisses. Enlever les pépins. Selon la grosseur des citrons, on obtiendra de 5 à 8 tranches.

- Répartir les tranches en une seule couche dans un plat creux peu profond. Couvrir de sel et laisser dégorger de 12 à 24 h.

- Égoutter en laissant un peu de sel sur les citrons.

- Broyer les piments et les feuilles de laurier et les mélanger dans un bol avec le reste des ingrédients.

- Mettre en pots stérilisés en empilant les tranches de citron et en ajoutant le mélange d'épices jusqu'à 2 cm (¾ po) du bord.

- Ajouter l'huile d'olive pour que les tranches soient bien couvertes d'au moins 1,25 cm (½ po).

- Fermer et étiqueter les pots.

- Laisser macérer au moins 1 semaine dans un endroit frais et sombre.

SUGGESTION : Coupez les tranches de citron en quatre et servez-les à l'apéro avec de la vodka. Cette préparation accompagne bien le prosciutto et le jambon de Bayonne. Gardez l'huile pour aromatiser les pizzas, les steaks et les salades.

Herbes de Provence

4 c. à soupe d'origan séché

4 c. à soupe de romarin séché

4 c. à soupe de sarriette séchée

4 c. à soupe de thym séché

- Mélanger les herbes dans un bol.

- Mettre dans un pot stérilisé.

- Fermer et étiqueter.

NOTE : Concoctez la même recette avec des herbes fraîches que vous cueillerez durant l'été et que vous cuisinerez immédiatement. Sinon, vous devrez faire sécher les fines herbes pour qu'elles conservent leur goût de fraîcheur pendant tout l'hiver.

Harengs à l'huile d'olive

6 à 8 filets de hareng fumé

Ail

Persil

Huile

- Les harengs fumés sont salés : aussi, les faire tremper de 1 à 2 h dans de l'eau froide.

- Bien égoutter, couper en morceaux et remplir les pots.

- Ajouter un hachis d'ail et de persil. Ajouter l'huile.

- Fermer les pots. Garder au frais.

SUGGESTION : Servir sur des craquelins avec un peu de fromage ou utiliser dans les recettes qui demandent des anchois.

Fromage de chèvre à l'huile et aux fines herbes

3 POTS DE 250 ML (1 TASSE)

2 fromages de chèvre (bûchettes)
3 branches de thym, d'estragon ou
  de romarin ou 1 branche de chacun
  pour chacun des pots
Grains de poivre noir, au goût
1 feuille de laurier par pot
Huile d'olive vierge

- Couper les fromages en 4 rondelles ou plus.

- Mettre dans des pots stérilisés avec les herbes, le poivre et le laurier.

- Ajouter l'huile d'olive pour couvrir en laissant 1,25 cm (½ po).

- Fermer et étiqueter.

NOTE : Vous pouvez aussi ajouter une gousse d'ail par pot. Servez avec du pain chaud et une salade. Faites fondre le fromage sur du pain grillé ou ajoutez-en quelques tranches sur une pizza avant de la mettre au four.

Quand il ne restera plus de fromage, utilisez l'huile pour assaisonner les salades, les viandes, les poissons et les légumes.

Sucre vanillé

1 kg (2 lb) de sucre
4 gousses de vanille

- Placer le sucre dans 2 pots stérilisés de 500 ml (2 tasses).

- Ajoutez 2 gousses de vanille dans chacun des pots.

- Fermer et étiqueter.

- Attendre de 1 à 2 semaines avant de consommer.

SUGGESTION : Utilisez le sucre vanillé pour saupoudrer des biscuits, sucrer le thé ou le café, préparer des crèmes. Il est aussi délicieux dans une salade de fruits.

Pour faire du sucre à la cannelle, remplacez la vanille par des bâtons de cannelle. Le sucre à la cannelle est délicieux dans un chocolat chaud, une tarte ou une croustade aux pommes.

Sucre à la lavande

1 kg (2 lb) de sucre
1 petit bouquet de lavande séchée

- Mettre le sucre dans deux pots stérilisés de 500 ml (2 tasses).

- Ajouter la lavande.

- Fermer et étiqueter. La lavande parfumera délicatement le sucre.

SUGGESTION : Ce sucre à saveur délicate rehausse la crème pâtissière, la crème glacée maison et le gâteau éponge.

Sucre aromatisé aux mandarines

240 g (1 tasse) de sucre
3 mandarines

- Préchauffer le four à 200 °F (100 °C).
- Laver les mandarines et prélever le zeste ou les écorces.
- Mettre les zestes ou les écorces sur une plaque à pâtisserie et faire sécher au four sans qu'ils changent de couleur. Laisser refroidir.
- Réduire en poudre dans un moulin à café.
- Mélanger au sucre.
- Mettre dans un pot stérilisé et fermer. Utiliser dans les gâteaux et les crèmes anglaises.

Sucre à la rose

1 kg (2 lb) de sucre
Les pétales de 5 roses parfumées
    non traitées

- Effriter les pétales avec les doigts.
- Mélanger au sucre.
- Attendre 1 semaine avant de consommer. Les pétales de rose rouge ou rose foncé donnent une belle couleur au sucre blanc.

Sucre à l'anis étoilé

1 kg (2 lb) de sucre
2 anis étoilés

- Mettre les anis étoilés dans le sucre.
- Remuer de temps à autre. Attendre 1 semaine. Servir dans une salade de fruits.

Tomates séchées

4,5 kg (10 lb) de tomates italiennes
Sel (facultatif)

- Préchauffer le four à 115°C (225°F).

- Bien laver et essuyer les tomates. Percer la peau 5 ou 6 fois avec la pointe d'un couteau.

- Couper les tomates en deux sur la hauteur et les épépiner.

- Déposer les tomates sur une plaque à pâtisserie, face coupée vers le bas. Saler un peu.

- Sécher au four environ 6 h ou plus. Les tomates sont à point quand elles sont souples et que la chair n'attache plus aux doigts.

- Après 4 à 5 h, vérifier souvent les tomates et retirer au fur et à mesure celles qui sont à point. Ouvrir la porte du four de temps à autre pour laisser échapper la vapeur.

- Entreposer les tomates dans un bocal stérilisé et conserver dans le réfrigérateur.

NOTE : Pour faire des tomates séchées conservées dans l'huile, les mettre dans un bocal et les couvrir d'huile d'olive extravierge. On peut aussi parfumer l'huile avec quelques gousses d'ail blanchies 30 sec et des fines herbes fraîches. Conserver dans le réfrigérateur.

Tomates séchées à l'huile d'olive

Tomates séchées du commerce
Feuilles de laurier
Ail
Thym
Romarin
Huile d'olive

- Placer les tomates dans un bol et couvrir avec un mélange moitié eau chaude et moitié vinaigre. Laisser reposer de 3 à 5 min.

- Bien égoutter et éponger.

- Mettre en pots stérilisés avec les herbes et l'ail.

- Couvrir d'huile.

- Passer un couteau dans le pot ou remuer pour enlever l'air.

- Sceller. Attendre 4 semaines avant de consommer.

Pesto

5 ou 6 gousses d'ail

30 g (¾ tasse) de feuilles de basilic frais

100 g (¾ tasse) de pignons ou autres noix

60 g (½ tasse) de parmesan, râpé

250 ml (1 tasse) d'huile d'olive extravierge

1 c. à café (1 c. à thé) de sel

Poivre fraîchement moulu, au goût

- Déposer les gousses d'ail et le basilic dans un robot de cuisine et actionner l'appareil jusqu'à l'obtention d'un hachis très fin. Ajouter les noix.

- Déposer ce hachis dans un bol de service et incorporer le parmesan. Mélanger.

- Verser l'huile d'olive en un mince filet sans cesser de remuer. Saler et poivrer.

Marinade pour cuisses de grenouille

250 ml (1 tasse) de vinaigre blanc
250 ml (1 tasse) d'huile
Environ 250 ml (1 tasse) de sauce
   au miel et à l'ail du commerce
Poivre au goût
Persil au goût
Cuisses de grenouille

- Mélanger tous les ingrédients sauf les cuisses de grenouilles. Faire mariner les cuisses de grenouille dans ce mélange quelques heures.

- Pour la cuisson, passer les cuisses dans la chapelure et cuire à la friteuse.

Salade d'hiver

10 POTS

JOUR 1
3 kg (7 lb) de tomates rouges
2 pieds de céleri
7 gros oignons
120 g (½ tasse) de sel fin

JOUR 2
2 poivrons verts, coupés
500 ml (2 tasses) de vinaigre
1 kg (4 tasses) de sucre
60 g (2 oz) de graines de moutarde

JOUR 1

- Couper tous les légumes en morceaux. Ajouter le sel.

- Laisser égoutter toute la nuit dans un sac de coton.

JOUR 2

- Bien presser le sac pour enlever le reste du jus ; mettre les légumes dans un plat.

- Ajouter les ingrédients du jour 2 et laisser reposer une demi-journée.

- Mettre en pots.

Sauce aux prunes

8 POTS

1,6 kg (8 tasses) de prunes
   non pelées, hachées finement
150 g (1 tasse) d'oignons, hachés
   finement
2 c. à soupe de graines de moutarde
1 ou 2 piments jalapeños, hachés
   finement
2 c. à soupe de gingembre frais,
   haché finement
3 gousses d'ail, hachées finement
125 ml (½ tasse) de vinaigre
720 g (3 tasses) de sucre blanc
480 g (2 tasses) de cassonade ou
   de sucre brun légèrement tassé
250 ml (1 tasse) de pectine
   (au besoin)

- Déposer les prunes dans une grande casserole avec les oignons, les graines de moutarde, les piments, le gingembre, l'ail et le vinaigre.

- Porter à feu vif le mélange jusqu'à ébullition.

- Mesurer le sucre blanc et la cassonade et mélanger.

- Incorporer le sucre. Cuire à feu vif en remuant, jusqu'à ébullition.

- Au besoin, ajouter la pectine aux fruits. Laisser bouillir fort 1 min en remuant. Retirer du feu.

- Écumer et remuer 5 min pour que les fruits ne flottent pas.

- Mettre en pots rapidement dans des pots chauds et stérilisés et fermer.

Pêches aux épices

6 À 8 POTS DE 250 ML (1 TASSE)

2 kg (4 lb) de pêches
625 ml (2 ½ tasses) de vinaigre de vin
   blanc
12 grains de poivre noir
1 c. à café (1 c. à thé) de clous
   de girofle
4 capsules de cardamome (facultatif)
2 bâtons de cannelle
2 étoiles de badiane (anis étoilé)
1 kg (2 lb) de sucre cristallisé

- Pocher les pêches dans de l'eau bouillante de 30 à 40 sec selon la maturité du fruit. Retirer de l'eau à l'aide d'une écumoire et plonger dans l'eau froide.

- Ouvrir les pêches en deux en suivant la dépression du fruit. Dénoyauter et éplucher.

- Porter à ébullition le vinaigre et les épices. Ajouter le sucre et remuer jusqu'à dissolution complète.

- Laisser bouillir 2 min. Ajouter les pêches et maintenir à ébullition de 4 à 5 min, jusqu'à ce qu'elles soient tendres.

- Remplir de pêches des bocaux stérilisés jusqu'à 1,25 cm (½ po) du bord. Faire réduire le sirop à feu vif 2 à 3 min.

- Verser le sirop sur les pêches. Fermer et étiqueter.

- Entreposer au frais 2 mois avant de consommer.

NOTE: Tous les fruits épicés et vinaigrés se mangent bien avec le gibier, la volaille et la viande rouge.

Oranges épicées

4 À 5 POTS DE 250 ML (1 TASSE)

4 grosses oranges
480 g (1 lb) de sucre
300 ml (1 ¼ tasse) de vinaigre de vin
  blanc ou autre
½ c. à café (½ c. à thé) de clou
  de girofle
1 bâton de cannelle
3 lamelles de macis

- Découper les oranges en tranches de 5 mm (⅕ po) d'épaisseur à l'aide d'un couteau de cuisine bien tranchant.

- Mettre les tranches d'orange dans une casserole et couvrir d'eau. Mettre le couvercle à demi et laisser frémir 1 h environ, jusqu'à ce que les oranges soient tendres. Égoutter dans une passoire.

- Dans la casserole, mélanger le sucre et le vinaigre en remuant à feu doux, jusqu'à dissolution complète du sucre. Ajouter les épices et faire bouillir 5 min. Si l'on souhaite retirer les épices par la suite, il faudra d'abord les mettre dans un sachet.

- Ajouter les oranges, couvrir et laisser frémir de 15 à 20 min, jusqu'à ce que les oranges soient translucides et que le sirop soit épais.

- Retirer les tranches d'oranges à l'écumoire et les ranger dans des bocaux stérilisés jusqu'à 1,25 cm (½ po) du bord. Retirer le sachet d'épices. Verser le sirop épicé sur les oranges en veillant à ne pas laisser de poches d'air.

- Fermer et étiqueter les bocaux.

- Laisser macérer 6 semaines dans un endroit frais et sombre avant de consommer.

Pommes épicées au romarin

7 À 8 POTS DE 250 ML (1 TASSE)

450 ml (environ 2 tasses) de vinaigre
  de cidre
8 c. à soupe de miel
12 grosses pommes Granny Smith
6 brins de romarin frais
1 c. à café (1 c. à thé) de baies
  de piment de la Jamaïque

- Verser le vinaigre dans une casserole et ajouter le miel. Remuer à feu doux jusqu'à dissolution du miel. Porter à ébullition et laisser bouillir de 2 à 3 min.

- Peler et évider les pommes, puis les couper en huit. Mettre les pommes dans la casserole. Laisser frémir de 8 à 10 min ; les pommes doivent être tendres sans être trop molles.

- Remplir des bocaux stérilisés jusqu'à 2,5 cm (1 po) du bord en ajoutant 2 brins de romarin et quelques baies de piment de la Jamaïque dans chacun des pots. Couvrir les pommes du mélange vinaigré en veillant à ne pas laisser de poches d'air. Fermer et étiqueter les bocaux.

- Laisser macérer de 5 à 6 jours dans un endroit frais et sombre avant de consommer.

Mélange pour barbecue

2 c. à soupe de persil et de ciboulette
  séchés
1 c. à soupe de chaque : estragon,
  romarin et thym séchés
1 c. à soupe de poivre noir
  fraîchement moulu
1 c. à soupe de piment de Cayenne
  moulu
1 c. à café (1 c. à thé) de paprika

- Dans un bol, bien mélanger tous les ingrédients en prenant soin de bien émietter les herbes.

- Saupoudrer le mélange sur la viande et cuire sur le barbecue.

SUGGESTION : Vous pouvez également ajouter de la moutarde ou du miel et utiliser ce mélange pour badigeonner de la viande ou de la volaille.

Poires épicées au vinaigre

8 POTS

2 kg (4 lb) de poires fermes
Le jus d'un demi-citron
560 ml (2 ¼ tasses) de vinaigre
   de vin blanc ou ordinaire
1 morceau de gingembre frais
   d'environ 2,5 cm (1 po)
4 clous de girofle
1 bâton de cannelle
720 g (3 tasses) de sucre

- Éplucher et couper les poires en deux. Enlever le cœur.

- Verser le jus de citron dans une casserole remplie d'eau. Faire bouillir, ajouter les poires et laisser mijoter de 30 à 45 min selon leur tendreté.

- Dans une autre casserole, faire cuire doucement le vinaigre, les épices et le sucre, en remuant jusqu'à ce que le sucre soit dissous. Le mélange doit devenir doré.

- Ajouter les poires et cuire 15 min.

- Mettre les poires délicatement dans des pots stérilisés.

- Réduire le sirop encore 5 min et l'ajouter aux fruits.

- Fermer les pots. Consommer après 1 mois avec des viandes froides.

Raisins au rhum

10 POTS

90 g (3 oz) de sucre en morceaux
1 citron
1 gousse de vanille, fendue
3 anis étoilés
1 bâton de cannelle
1 kg (2 lb) de raisins blancs
  à gros grains
400 ml (1 ⅔ tasse) de rhum blanc

- Mettre le sucre en morceaux dans une casserole. Ajouter 100 ml (un peu moins de ½ tasse) d'eau, le zeste du citron, la gousse de vanille, l'anis étoilé et le bâton de cannelle.

- Porter à ébullition. Attendre que le sucre soit entièrement dissous. Retirer du feu et laisser refroidir.

- Rincer soigneusement les raisins à l'eau légèrement citronnée. Égrener les raisins en laissant environ 3 mm (⅛ po) de tige à l'aide d'un ciseau.

- Disposer les grains de raisin dans un bocal. Verser le sirop refroidi sur les fruits avec la vanille et l'anis.

- Compléter avec le rhum (les raisins doivent être recouverts). Fermer hermétiquement. Laisser macérer au moins 2 mois.

Légumes marinés

600 g (3 tasses) de brocoli, en bouquets

600 g (3 tasses) de chou-fleur, en bouquets

200 g (1 tasse) de carottes, en rondelles

1 oignon rouge, en lamelles

100 g (½ tasse) de poivrons rouges
  doux, en lanières

VINAIGRETTE

125 ml (½ tasse) de vinaigre
  de vin rouge

2 c. à café (2 c. à thé) de sucre

1 c. à café (1 c. à thé) de graines d'aneth

½ c. à café (½ c. à thé) de moutarde sèche

½ c. à café (½ c. à thé) de thym séché

½ c. à café (½ c. à thé) de paprika

Une pincée de poivre

250 ml (1 tasse) d'huile végétale

- Mettre tous les légumes dans un grand bol.

- Mélanger tous les ingrédients de la vinaigrette.

- Verser sur les légumes. Laisser mariner 4 h avant de servir.

Œufs au vinaigre

12 œufs durs, écalés

375 ml (1 ½ tasse) de vinaigre

125 ml (½ tasse) d'eau

1 c. à café (1 c. à thé) de sel

1 c. à café (1 c. à thé) d'épices
à marinades entières, au goût
(clous de girofle, ail, feuilles
de laurier, gingembre, grains de
poivre, graines de moutarde)

1 c. à café (1 c. à thé) de sucre

- Placer tous les ingrédients, sauf les œufs, dans une casserole. Porter à ébullition et faire bouillir 5 min.

- Placer les œufs dans un grand bocal stérilisé et les couvrir du mélange liquide.

- Laisser mariner au moins 2 jours.

NOTE : Ces œufs se gardent plusieurs mois si on laisse le bocal fermé dans le réfrigérateur. Une fois ouvert, je recommande de manger les œufs en moins d'un mois.

Salade d'hiver de Françoise

12 À 15 POTS DE 175 ML (¾ TASSE)

3,5 kg (7 ½ lb) de tomates vertes,
  en tranches (environ 30 tomates)
8 gros oignons
6 poivrons rouges, en petits morceaux
1 poignée de sel
1 kg (4 tasses) de sucre
1 litre (4 tasses) de vinaigre
1 c. à café (1 c. à thé) de curcuma
2 c. à soupe de graines de moutarde
1 c. à soupe de graines de céleri
½ chou, en tranches

- Mettre les tomates, les oignons, les poivrons et le sel dans un linge de coton blanc et laisser égoutter toute la nuit.

- Le lendemain, mettre les autres ingrédients avec ceux de la veille dans une casserole et faire bouillir 20 min. Laisser refroidir complètement et ajouter le chou. Remuer et mettre en pots chauds et stérilisés. Fermer les pots.

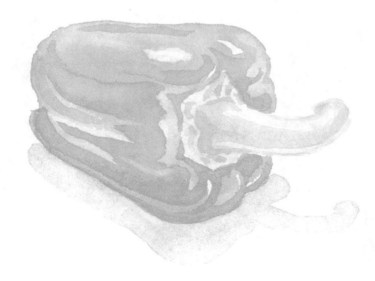

Glossaire

Achards : Mot malais. Condiments d'origine indienne composés de fruits et de légumes macérés, dans du vinaigre. Il s'agit d'un relish composé de gros morceaux plutôt que d'ingrédients hachés.

Blanchir : Procédé utilisé pour enlever la pelure des fruits et des légumes. Faire bouillir une casserole d'eau, plonger les fruits ou les légumes dans l'eau bouillante de 30 à 60 secondes, quelques-uns à la fois. Les retirer rapidement et les plonger dans l'eau froide. Enlever la peau et le tour est joué.

Bouquet garni : Herbes fraîches aromatiques que l'on met dans un bouillon, une sauce, une soupe, etc. Il est composé de branches de persil, de thym et de laurier, ainsi que de poireau et de feuilles de céleri, le tout attaché avec une ficelle.

Dégorger : Saupoudrer de sel certains légumes (tomates, aubergines, concombres, courgettes, etc.) dans une passoire pour enlever l'eau de végétation. Les concombres ainsi traités seront plus digestes.

Ébouillanter : Plonger quelques instants des fruits ou des légumes dans l'eau bouillante pour faciliter l'épluchage.

Économe : Couteau de cuisine pour éplucher les fruits et les légumes en n'enlevant qu'une faible peau ou pelure.

Écumer : Enlever l'écume qui se forme à la surface d'un liquide en ébullition.

Espace de tête : Espace entre les aliments et le couvercle dans les pots. L'espace de tête est essentiel pour l'expansion des aliments et pour obtenir un vide une fois les pots refroidis.
Espace de tête pour les moutardes, ketchups, relish, chutneys, etc. : 1,25 cm ou ½ po.

Jardinière : Mélange de différents légumes coupés en bâtonnets de 3 à 6 mm (⅛ po à ¼ po) d'épaisseur et 4 à 7 cm (1 ½ po à 2 ¾ po) de longueur.

Ketchup : Mot anglais de l'Inde. Condiment d'origine anglaise, sauce épaisse à base de tomates à saveur piquante et sucrée.

Pickles : Condiments ou marinades constitués de fruits ou de légumes mis en saumure, puis dessalés et conservés dans le vinaigre.

Saumure : Eau fortement salée : 1 c. à thé (1 c. à café) de sel pour 1 litre (4 tasses) d'eau dans laquelle on plonge des fruits ou des légumes pour les conserver.

Index